Speaking and Listening Workbook

Español
Santillana

fans del Español

Español Santillana. Speaking and Listening Workbook 4 is a part of the Español Santillana project, a collaborative effort by two teams specializing in the design of Spanish-language educational materials. One team is located in the United States and the other in Spain.

Writers:
M.ª Antonia Oliva
Belén Saiz Noeda

Developmental Editors:
Ana I. Antón
M.ª Antonia Oliva

Editorial Coordinator:
Anne Silva

Editorial Director:
Enrique Ferro

Español Santillana.
Speaking and Listening Workbook 4
ISBN-13: 978-1-62263-249-7
ISBN-10: 1-62263-249-4

Illustrators: José Zazo, Ana Sáez del Arco
Picture Coordinator: Carlos Aguilera

Cartographer: José Luis Gil

Production Manager: Ángel García Encinar

Production Coordinators: Julio Hernández, Marisa Valbuena

Design and Layout: Raquel Sánchez, Fernando Calonge, Pedro Valencia

Proofreader: Marta López

Photo Researchers: Mercedes Barcenilla, Amparo Rodríguez

Printed in the United States of America by Whitehall Printing Company

Santillana USA Publishing Company, Inc.
2023 NW 84th Avenue, Doral, FL 33122

1 2 3 4 5 6 7 8 9 10   19 18 17 16 15 14

Contenidos

Unidad preliminar Llegamos a la meta 5-14

Beneficios de estudiar idiomas	5
La sílaba	6
Primera parte	
Escucho español	
Un día en la vida de Ester	7
La Ruta Quetzal	8
Hablo español	
Una encuesta sobre hábitos saludables	9
Recuerdos	10

Segunda parte
Escucho español
El horóscopo 11
Mejora tu español 12
Hablo español
La educación en el futuro 13
Amigos para siempre 14

Unidad 1 Nos relacionamos 15-32

La carta a los Reyes Magos 15
Los diptongos 16
Desafío 1
Escucho español
La personalidad 17
Gustos, intereses, preocupaciones 18
Hablo español
Tu pareja ideal 19
¿Quién es quién? 20
Desafío 2
Escucho español
En la oficina de correos 21
Las rutinas del sueño 22
Hablo español
El futuro del correo postal 23
Los buenos hábitos 24

Desafío 3
Escucho español
La televisión 25
Las redes sociales 26
Hablo español
La generación interactiva 27
La prensa en Internet 28
Todo junto
Escucho español
La carta perdida 29
Los niños y las rutinas 30
Hablo español
La televisión y tú 31
Las tecnologías digitales 32

Unidad 2 Nos cuidamos 33-50

La vacuna contra la malaria 33
Palabras encadenadas 34
Desafío 1
Escucho español
Una receta 35
Poner la mesa 36
Hablo español
En el restaurante 37
Las buenas maneras en la mesa 38
Desafío 2
Escucho español
Síntomas preocupantes 39
La diabetes 40
Hablo español
Cómo actuar ante un accidente 41
Las vacunas 42

Desafío 3
Escucho español
Una etapa de cambios 43
Una boda real 44
Hablo español
¿Estás de mal humor? 45
Improvisando 46
Todo junto
Escucho español
Los alimentos más saludables 47
Los alimentos y los estados anímicos 48
Hablo español
Cómo actuar ante un caso de infarto 49
Quien mueve las piernas mueve... ¡el ánimo! 50

Unidad 3 Trabajamos   51-68

El Mercosur	51
Los sonidos P, B, D, T, G, K	52
Desafío 1	
Escucho español	
La reprobación infantil	53
El genoma humano	54
Hablo español	
Las tareas escolares	55
Las investigaciones más divertidas	56
Desafío 2	
Escucho español	
El costo de la vida	57
Economía solidaria	58
Hablo español	
Financiación colectiva	59
Jóvenes y economía	60
Desafío 3	
Escucho español	
El currículum vítae	61
Una noticia sobre empleo	62

Hablo español	
Una entrevista de trabajo	63
Mejorar el clima laboral	64
Todo junto	
Escucho español	
La ciencia del siglo XXI	65
Jóvenes emprendedores	66
Hablo español	
Orientación profesional	67
Consumo colaborativo	68

Unidad 4 Nos divertimos   69-86

«La canción de la trova»	69
Los sonidos S, Z, J	70
Desafío 1	
Escucho español	
El ajedrez	71
¡Vamos a divertirnos!	72
Hablo español	
Ocio y tiempo libre	73
¿Qué puede ser?	74
Desafío 2	
Escucho español	
El Tren del Recuerdo	75
Viajar en avión	76
Hablo español	
Las normas de circulación	77
¿Qué habrá pasado?	78
Desafío 3	
Escucho español	
Un hotel diferente	79
El pronóstico para hoy	80

Hablo español	
¿Dónde nos quedamos?	81
Problemas en el viaje	82
Todo junto	
Escucho español	
El Ballet de Alicia Alonso	83
Algo más que turismo cultural	84
Hablo español	
Climas extremos	85
Entre ladrones anda el juego	86

Unidad 5 Participamos   87-104

Un corrido mexicano	87
Los sonidos L, R	88
Desafío 1	
Escucho español	
Maximiliano I de México	89
Maximiliano I y Benito Juárez	90
Hablo español	
El misterio de las líneas de Nazca	91
La historia de México	92
Desafío 2	
Escucho español	
«Te recuerdo, Amanda»	93
La transición española	94
Hablo español	
¿Monarquía o república?	95
Arte y compromiso	96
Desafío 3	
Escucho español	
¿Papel o plástico?	97
Los ninis	98

Hablo español	
Los problemas del mundo	99
Los pueblos indígenas	100
Todo junto	
Escucho español	
El Dorado	101
«Jóvenes y Memoria»	102
Hablo español	
Los derechos de los pueblos indígenas	103
Preguntas y respuestas	104

Unidad 6 Creamos   105-122

El «boom» latinoamericano	105
La entonación	106
Desafío 1	
Escucho español	
José Clemente Orozco	107
Grandes obras para ver... y escuchar	108
Hablo español	
Estilos del arte	109
El cuadro que más te gusta	110
Desafío 2	
Escucho español	
La arquitectura sustentable	111
Ricardo Legorreta	112

Hablo español	
Arquitectura y sociedad	113
Los rascacielos	114
Desafío 3	
Escucho español	
El Quijote	115
Elogio de la lectura y la ficción	116
Hablo español	
El libro de tu vida	117
«El Sur»	118
Todo junto	
Escucho español	
Eduardo Chillida	119
Pintores y escritores	120
Hablo español	
Arte y naturaleza	121
¿Esto es arte?	122

Llegamos a la meta

Nombre: .... **Fecha:** ....

BENEFICIOS DE ESTUDIAR IDIOMAS

1 **¿Qué sabes?**

▶ **Marca** y añade. ¿Qué beneficios de hablar otro idioma te interesan más?

☐ Tienes más posibilidades de conseguir una beca.

☐ Puedes conseguir un trabajo mejor.

☐ Disfrutas más de los viajes.

☐ Te permite comunicarte con personas de otros lugares.

☐ Eres más comprensivo(a), tolerante y flexible.

☐ Te ayuda a aumentar tu autoestima.

☐ Mejora la concentración y la memoria.

☐ ....

2 **¿Comprendes?**

▶ **Escucha** una noticia sobre algunos de los beneficios de hablar otro idioma y anótalos.

1. ....

2. ....

3. ....

▶ **Responde.** ¿Qué se entiende por bilingüismo en el estudio?

....

....

3 **Ahora tú**

▶ **Habla** con tus compañeros(as). ¿Qué beneficios han obtenido o esperan obtener de estudiar español?

Modelo

> A mí me divierte mucho escuchar y cantar canciones en español.

> Yo espero tener un buen trabajo gracias al español.

LA SÍLABA

4 La sílaba tónica

▶ **Escucha** y rodea la sílaba fuerte o tónica en cada palabra. Después, lee las palabras en voz alta.

1. presentación
2. positivo
3. identidad
4. encontramos
5. comunicarse
6. abecedario
7. dificultad
8. director
9. excelente
10. difícil
11. educación
12. tomate

5 Con acento

▶ **Escucha** y subraya la sílaba tónica en cada par de palabras. Luego, escribe la tilde (el acento ortográfico) donde sea necesario.

1. camino – camino
2. fabrica – fabrica
3. corto – corto
4. dialogo – dialogo
5. refresco – refresco
6. publico – publico
7. genero – genero
8. animo – animo
9. calle – calle

6 Las vocales

▶ **Escucha** y subraya la palabra que escuches. Después, lee en voz alta los pares de palabras.

1. piso – peso
2. villa – bella
3. quiso – queso
4. misa – mesa
5. pisa – pesa
6. ira – era
7. cita – zeta
8. cine – cene
9. risa – reza

7 Palabras incompletas

▶ **Escucha** y completa con las vocales que faltan. Después, lee las palabras en voz alta.

1. __f__rmar
2. s__r__n__dad
3. h__sp__tal
4. r__mánt__c__
5. cám__r__
6. __cc__dent__
7. c__rc__lar
8. pr__m__ver
9. m__lagr__

8 El ritmo

▶ **Escucha** las siguientes adivinanzas y escribe la solución a cada una. Después, léelas en voz alta intentando mantener el mismo ritmo.

1

Una en la Tierra,
una en la Luna;
pero en el cielo
no hay ninguna.

La letra _____.

2

Me puedes ver en tu piso,
y también en tu nariz;
sin mí no habría ricos
ni habría nadie feliz.

La letra _____.

3

El burro la lleva a cuestas,
metidita en un baúl,
yo no la tuve nunca
y siempre la tienes tú.

La letra _____.

Nombre: ....   **Fecha:** ....

UN DÍA EN LA VIDA DE ESTER

9 **¿Qué sabes?**

▶ **Marca** o añade. ¿Qué suele aprender o practicar la gente de tu edad fuera del horario escolar?

☐ segundo idioma   ☐ baloncesto   ☐ piano

☐ béisbol   ☐ tenis   ☐ ....

☐ fútbol   ☐ *ballet* o danza   ☐ ....

☐ teatro   ☐ kárate   ☐ ....

10 **¿Comprendes?**

▶ **Escucha** un programa de radio en el que una niña explica su día y responde.

1. ¿Cómo describe el reportero a Ester?

   ....

   ....

2. ¿Qué actividades extracurriculares tiene Ester? ¿Cuándo las tiene?

   ....

   ....

3. ¿Cómo se siente Ester?

   ....

4. ¿Cuál es el momento más feliz del día para Ester?

   ....

11 **Ahora tú**

▶ **Comenta** con tu compañero(a) el horario de Ester. ¿Cómo se siente ella? ¿Cómo era tu horario a su edad? ¿Cómo te sentías tú?

Modelo

Yo creo que Ester está muy estresada.

Sí, yo también lo creo. Yo a su edad...

LA RUTA QUETZAL

12 ¿Qué sabes?

▶ **Observa** la fotografía. ¿Qué tipo de viaje es la Ruta Quetzal? ¿Quiénes participan?

_____

_____

_____

13 ¿Comprendes?

▶ **Escucha** una entrevista con un monitor de la Ruta Quetzal y responde.

1. ¿Cómo empezó la relación de Jesús con la Ruta Quetzal?

_____

_____

2. ¿Cómo conoció Jesús a su esposa?

_____

3. ¿Qué les ocurrió en Panamá?

_____

_____

_____

▶ **Completa** la anécdota con los verbos en pretérito o en imperfecto.

sobrar	comprar	tardar	estar

En el golfo de las Flechas

Recuerdo una vez en el golfo de las Flechas, en la República Dominicana.

[Nosotros] _____ acampados en la playa y Miguel de la Quadra-Salcedo

_____ para comer un cerdo de 150 kilos que había que cocinar.

¡_____ en hacerse 24 horas! ¡La gente _____ muerta

de hambre! Una vez se hizo, no _____ casi ni los huesos.

14 Ahora tú

▶ **Escribe.** ¿Te gustaría participar en la Ruta Quetzal? Justifica tu respuesta.

_____

_____

Nombre: _____ **Fecha:** _____

UNA ENCUESTA SOBRE HÁBITOS SALUDABLES

15 **¿Qué sabes?**

▶ **Escribe** una lista con hábitos que consideres saludables y hábitos que consideres perjudiciales para la salud.

HÁBITOS SALUDABLES	HÁBITOS NO SALUDABLES
1. Comer varias piezas de fruta al día.	1. Comer dulces a diario.
2. _____	2. _____
3. _____	3. _____

▶ **Escribe** una encuesta para saber si los hábitos de tus compañeros(as) son saludables o no.

1. ¿Comes una o varias piezas de fruta al día? _____

2. _____

3. _____

4. _____

5. _____

6. _____

16 **Hablamos**

▶ **Habla** con tus compañeros(as). Hazles las preguntas que has preparado.

Modelo

¿Comes alguna pieza de fruta cada día?

Sí, como una pieza de fruta en el almuerzo.

▶ **Presenta** a tus compañeros(as) los resultados de tu encuesta.

Español Santillana. Speaking and Listening Workbook. Unidad preliminar

9

RECUERDOS

17 ¿Qué sabes?

▶ **Describe** a alguien a quien aprecies y no veas desde hace tiempo. Te damos algunas ideas.

- ¿Quién era?

  _____

- ¿Cómo lo(a) conociste?

  _____

  _____

- ¿Cómo era físicamente?

  _____

  _____

- ¿Cómo era su personalidad?

  _____

  _____

- ¿Qué aficiones tenía?

  _____

- ¿Qué no le gustaba?

  _____

- ¿Recuerdas alguna anécdota que te ocurrió con él o con ella? ¿Qué sucedió?

  _____

  _____

  _____

> – *Tu abuelo(a)*
> – *Un(a) amigo(a) que ya no vive en tu ciudad*
> – *Tu mejor amigo(a) de la infancia...*

18 Hablamos

▶ **Habla** con tu compañero(a) y descríbele a la persona en la que has pensado. Tu compañero(a) puede hacerte preguntas para conocerlo(a) mejor.

Modelo

Era mi abuelo. Lo quería mucho. Recuerdo que él me enseñó a montar en bicicleta.

¿Y cómo era físicamente?

Nombre: .... **Fecha:** ....

EL HORÓSCOPO

19 **¿Qué sabes?**

▶ **Empareja** estos signos del horóscopo con su imagen.

A **Aries** (Del 21 de marzo al 20 de abril)	D **Libra** (Del 24 de septiembre al 23 de octubre)
B **Leo** (Del 24 de julio al 23 de agosto)	E **Sagitario** (Del 23 de noviembre al 21 de diciembre)
C **Virgo** (Del 24 de agosto al 23 de septiembre)	F **Capricornio** (Del 22 de diciembre al 20 de enero)

20 **¿Comprendes?**

▶ **Escucha** el horóscopo de la semana. Marca qué predicción hay para estos signos: positiva o negativa.

1. Aries ☐ ☐   4. Libra ☐ ☐

2. Leo ☐ ☐   5. Sagitario ☐ ☐

3. Virgo ☐ ☐   6. Capricornio ☐ ☐

▶ **Responde.** ¿A qué signos corresponde el color verde?

....

....

21 **Ahora tú**

▶ **Escucha** de nuevo el horóscopo y anota la predicción para tu signo.

....

....

....

MEJORA TU ESPAÑOL

22 **¿Qué sabes?**

▶ **Anota** tres consejos para que un compañero(a) mejore su español fuera de clase.

- Habla con nativos(as). _____

- _____

- _____

- _____

▶ **Explica.** ¿Qué técnicas aplicas tú para mejorar tu español?

_____

_____

23 **¿Comprendes?**

🎧 ▶ **Escucha** a un profesor de español dar algunos consejos a sus alumnos y complétalos con el verbo adecuado.

1. _____ a alguien con quien conversar.

2. Hablen solos en español y _____ situaciones.

3. _____ canciones en español y cántenlas.

4. Y si pueden, grábense, _____ y compárense con la canción original.

5. _____ la televisión en español.

6. _____ en español unos 15 o 20 minutos al día.

7. _____ listas de vocabulario y repásenlas con frecuencia.

8. _____ en un cuaderno los errores gramaticales que cometan con más frecuencia.

9. _____ un diario en español y redacten una entrada de al menos cien palabras cada día.

24 **Ahora tú**

🎧 ▶ **Escucha** de nuevo al profesor. ¿Qué consejos vas a aplicar para mejorar tu español?

_____

_____

_____

_____

_____

_____

Nombre: .... **Fecha:** ....

LA EDUCACIÓN EN EL FUTURO

25 **¿Qué sabes?**

▶ **Escribe** cuatro preguntas sobre la educación en el futuro. Te damos algunos temas.

- El salón de clase
- Las asignaturas
- Los planes de estudio
- Los libros de texto
- Los contenidos
- Las evaluaciones

1. _¿Seguirán existiendo los libros de texto en papel?_ ....

2. ....

3. ....

4. ....

5. ....

▶ **Elige** una de las preguntas que has escrito y desarrolla la respuesta.

....

....

....

26 **Hablamos**

▶ **Debate** con tus compañeros(as). ¿Cómo creen que será la educación en el futuro?
Planteen las preguntas que han preparado. Respondan y justifiquen sus respuestas.

Modelo

¿Creen que habrá algún cambio en los planes de estudio?

Yo creo que será obligatorio estudiar al menos dos lenguas extranjeras, el español y el chino, por ejemplo.

Yo creo que habrá más horas de Educación Física a la semana.

Español Santillana. Speaking and Listening Workbook. Unidad preliminar

13

AMIGOS PARA SIEMPRE

27 **¿Qué sabes?**

▶ **Marca** y añade. ¿Qué consejos te parecen más útiles
para hacer amigos(as) y conservarlos(as)?

☐ Acuérdate del nombre de las personas que conoces.

☐ Evita criticar a los demás.

☐ Sonríe.

☐ Haz cumplidos (*compliments*).

☐ Escucha a la persona con la que estás hablando.

☐ Propón planes que puedan hacer juntos(as).

☐ Trata a los demás como quieres que te traten.

☐ _____

28 **Hablamos**

▶ **Habla** con tu compañero(a). Entre los dos elaboren una lista de consejos para hacer
amigos(as) y conservarlos(as).

Modelo

Yo creo que es muy importante
saber escuchar a los demás.

Sí, y guardar los secretos
que te cuentan.

1. _____

2. _____

3. _____

4. _____

5. _____

6. _____

7. _____

8. _____

9. _____

10. _____

Nombre: .... Fecha: ....

LA CARTA A LOS REYES MAGOS

1 **¿Qué sabes?**

▶ **Escribe.** ¿Qué sabes sobre la tradición de los Reyes Magos en los países hispanos?

1. ¿Cuándo llegan los Reyes Magos?

_____

2. ¿Qué les traen a los(as) niños(as)?

_____

3. ¿Cómo les dicen los(as) niños(as) lo que quieren?

_____

2 **¿Comprendes?**

▶ **Escucha** un breve reportaje de la radio sobre la tradición de los Reyes Magos en México y responde a las preguntas.

1. Tradicionalmente, ¿cómo hacen llegar los niños mexicanos sus cartas a los Reyes Magos, además de echarlas en el buzón?

_____

_____

2. ¿Qué maneras más modernas de enviar la carta a los Reyes Magos se mencionan en el reportaje?

_____

_____

3. ¿Para qué cuestiones relacionadas con esta tradición usan Internet los padres?

_____

_____

4. ¿Qué ofrece el Servicio Postal Mexicano en estas fechas?

_____

_____

3 **Ahora tú**

▶ **Habla** con tus compañeros(as). Contrasten sus conocimientos sobre la tradición de los Reyes Magos y compárenla con la de Santa Claus.

LOS DIPTONGOS

 4　**Los diptongos**

▶ **Escucha** y subraya en cada par la palabra que se pronuncia. Luego, repite en voz alta los pares de palabras.

1. peina – pena
2. rudo – ruido
3. cuota – cota
4. Luisa – lisa

5. moro – muero
6. suelo – solo
7. suizo – sucio
8. magia – maga

9. vuela – bola
10. le – ley
11. euro – oro
12. duda – deuda

 5　**En una sola sílaba**

▶ **Escucha** y repite las palabras. Luego, complétalas con los diptongos correctos.

1. secretar_____
2. ac_____te
3. estad_____nidense
4. c_____dad
5. _____mentar
6. ab_____lo
7. _____go

8. b_____tre
9. t_____ne
10. b_____le
11. monstr_____
12. v_____lín
13. _____ro
14. c_____derno

ia	ie	io	iu
ua	ue	uo	ui
ai	ei	oi	
au	eu	ou	

 6　**Los hiatos**

▶ **Escucha** las palabras y separa las sílabas con una barra (/). Luego, lee las palabras en voz alta.

1. tía
2. paella
3. aéreo

4. oeste
5. mío
6. ahora

7. marea
8. poema
9. sonreír

10. azahar
11. fea
12. río

 7　**¿Qué será?**

▶ **Escucha** las adivinanzas y repítelas.
Luego, escribe las soluciones.

1
Sin ser rica, tengo cuartos
y, sin morir, nazco nueva;
y a pesar de que no como,
hay noches que luzco llena.

_____

2
Me llaman rey
y no tengo reino;
dicen que soy rubio
y no tengo pelo;
afirman que ando
y no me muevo;
relojes arreglo
sin ser relojero.

Nombre: _____   **Fecha:** _____

LA PERSONALIDAD

8 **¿Qué sabes?**

▶ **Marca** y escribe. ¿Cómo eres?

☐ amable   ☐ egoísta   ☐ tímido(a)   ☐ _____

☐ cariñoso(a)   ☐ generoso(a)   ☐ trabajador(a)   ☐ _____

☐ chismoso(a)   ☐ impulsivo(a)   ☐ sincero(a)   ☐ _____

☐ comprensivo(a) ☐ perezoso(a)   ☐ dominante   ☐ _____

9 **¿Comprendes?**

▶ **Escucha** un fragmento de un programa radiofónico sobre los rasgos de personalidad e indica si las afirmaciones son ciertas (C) o falsas (F).

1. Según Mario Guerra, suelen coincidir cómo me veo yo y cómo me ven los demás.   C   F

2. Ser abierto y sociable suele ser un área brillante de la personalidad.   C   F

3. La persona que es muy habladora no suele reconocerlo.   C   F

4. Las personas dominantes reconocen que lo son y los demás también se dan cuenta.   C   F

▶ **Explica** con tus palabras. ¿Qué son las «áreas brillantes»? ¿Por qué se denominan así determinados rasgos de la personalidad?

_____

_____

_____

_____

_____

10 **Ahora tú**

▶ **Responde.** ¿Cuáles son tus áreas brillantes?

_____

_____

_____

GUSTOS, INTERESES, PREOCUPACIONES

11 **¿Qué sabes?**

▶ **Escribe.** ¿Qué preguntas se podrían hacer en una encuesta para conocer mejor a los(as) jóvenes?

1. _____

2. _____

3. _____

4. _____

12 **¿Comprendes?**

▶ **Escucha** la entrevista y marca. ¿Sobre qué temas le pregunta el entrevistador a la joven?

☐ su nombre ☐ su infancia ☐ su tiempo libre

☐ su edad ☐ su trabajo ☐ sus intereses

☐ su familia ☐ su vivienda ☐ sus preocupaciones

▶ **Escucha** de nuevo y completa las oraciones sobre Marta.

1. Le gusta(n) _____

2. No le gusta(n) _____

3. Le encanta(n) _____

4. Le divierte(n) _____

5. Le interesa(n) _____

6. No le interesa(n) _____

7. Le aburre(n) _____

8. Le preocupa(n) _____

9. Le deprime(n) _____

10. Le da(n) pena _____

13 **Ahora tú**

▶ **Responde** a las preguntas de la entrevista. Escribe cuáles son tus gustos, intereses y preocupaciones. Usa como guía los verbos de la actividad anterior.

_____

_____

_____

_____

Nombre: ....   **Fecha:** ....

TU PAREJA IDEAL

14 **¿Qué sabes?**

▶ **Marca** en la lista o escribe. ¿Qué cinco rasgos de personalidad debe tener tu pareja ideal?

☐ alegre	☐ cortés	☐ paciente	☐ ....
☐ atrevido(a)	☐ detallista	☐ romántico(a)	☐ ....
☐ cariñoso(a)	☐ sensible	☐ generoso(a)	☐ ....
☐ comprensivo(a)	☐ fiel	☐ responsable	☐ ....
☐ comunicativo(a)	☐ sociable	☐ inteligente	☐ ....

15 **Hablamos**

▶ **Habla** con tu compañero(a) sobre tu pareja ideal. ¿Cómo es su personalidad? ¿Cuáles son sus gustos e intereses? Usen sus notas anteriores y los verbos del recuadro.

le gusta(n)	le asusta(n)
le encanta(n	le preocupa(n)
le divierte(n)	le enoja(n)
le emociona(n)	le molesta(n)
le interesa(n)	le fascina(n)

Modelo

Mi pareja ideal debe ser alegre y tener mucho sentido del humor.

Pues la mía debe ser inteligente y cariñosa.

A mi chico ideal le interesan mucho los deportes, como a mí.

Pues a mi chica ideal le interesa mucho el cine. ¡Yo quiero ser actor!

▶ **Habla** con tu compañero(a). ¿Conoces a alguien que reúna las características para ser la pareja ideal de tu compañero(a)? Cuéntaselo.

Modelo

Tengo un amigo muy simpático y deportista. Creo que harían muy buena pareja.

¿QUIÉN ES QUIÉN?

16 ¿Qué sabes?

▶ **Habla** con tu compañero(a). Di una característica física o un rasgo de personalidad; tu compañero(a) debe pensar en una persona que tenga esa cualidad y construir una oración explicando el significado de la palabra. Cambien de papel.

Modelo

> Zurdo.

> Laura escribe con la mano izquierda porque es zurda.

17 Hablamos

▶ **Juega** con tu compañero(a). Cada uno debe elegir un personaje. Tu objetivo es averiguar el personaje de tu compañero(a) antes de que él/ella adivine el tuyo. En cada turno se puede realizar una pregunta para descartar algunas fotos.

Modelo

> ¿Tiene el pelo largo?

> No, no tiene el pelo largo.

Fernanda

Santiago

Valeria

Miguel Ángel

Camila

Diego

Daniela

Eduardo

Sofía

Nombre: ....   **Fecha:** ....

EN LA OFICINA DE CORREOS

18 **¿Qué sabes?**

▶ **Marca** y añade. ¿Qué acciones has realizado alguna vez en una oficina de correos?

☐ comprar estampillas

☐ enviar un paquete

☐ recibir un paquete

☐ enviar un giro postal
  (money transfer)

☐ recibir un giro postal

☐ contratar un apartado
  postal *(PO Box)*

☐ ....

☐ ....

☐ ....

19 **¿Comprendes?**

▶ **Escucha** las conversaciones e indica si las afirmaciones son ciertas (C) o falsas (F).

1. El cliente mexicano paga la misma tarifa para todos sus envíos.   C   F

2. Todos los envíos internacionales cuestan lo mismo.   C   F

3. El envío desde México a Chile de una carta que pese menos de 20 gramos
   cuesta menos de 12 pesos.   C   F

4. La clienta española quiere enviar dinero a otra ciudad del país.   C   F

5. Un giro postal dentro de España cuesta 2,20 euros más un 1,25 %
   de la cantidad enviada.   C   F

▶ **Responde.** ¿Qué quiere hacer el hombre del primer diálogo? ¿Y la mujer del segundo
  diálogo?

....

....

....

....

20 **Ahora tú**

▶ **Representa** con tu compañero(a) un diálogo entre un(a) cliente(a) y un(a) empleado(a)
  de correos. Elijan una de las acciones de la primera actividad de la página.

Modelo

Buenos días. ¿En qué puedo ayudarla?

Buenos días. Quería enviar un paquete...

LAS RUTINAS DEL SUEÑO

21 **¿Qué sabes?**

▶ **Escribe** tres hábitos para dormir bien que hay que seguir antes de acostarse.

_____

_____

_____

22 **¿Comprendes?**

▶ **Escucha** un fragmento de un programa radiofónico sobre el sueño y responde.

1. ¿Qué tipo de alimentos pueden ayudar a dormir bien?

_____

2. ¿Qué tipo de alimentos no deben comerse de noche para dormir bien?

_____

3. ¿Qué hace María cuando se despierta por la noche? ¿Qué opina el doctor sobre esa rutina?

_____

_____

4. ¿Qué otras recomendaciones hace el doctor para desconectar y lograr dormir? Resume sus consejos.

_____

_____

_____

23 **Ahora tú**

▶ **Responde.** ¿Sigues en tu vida diaria alguno de los hábitos que recomienda el doctor? Explica las rutinas que sigues antes de acostarte.

_____

_____

_____

_____

_____

_____

Nombre: ....   Fecha: ....

EL FUTURO DEL CORREO POSTAL

24 **¿Qué sabes?**

▶ **Marca.** ¿Qué envíos hacen o reciben tú y tu familia con más frecuencia a través del correo postal? ¿Y qué envíos hacen o reciben por correo electrónico?

	✉	@
1. Correspondencia personal.	☐	☐
2. Felicitaciones navideñas.	☐	☐
3. Las facturas (del teléfono, de la electricidad, etc.).	☐	☐
4. Los extractos de la cuenta bancaria (*bank statements*).	☐	☐
5. Publicidad.	☐	☐

25 **Hablamos**

▶ **Habla** con tu compañero(a). ¿Qué medios utilizas para hacer o recibir envíos? ¿Qué ventajas tiene cada uno? ¿Cuáles prefieres?

Modelo

> Yo sigo enviando felicitaciones navideñas por correo postal.

> Yo no. Yo lo hago a través del correo electrónico o del celular.

▶ **Habla** con tu compañero(a). ¿Cómo será el correo postal en el futuro? Piensa cómo funciona, para qué se utiliza hoy en día y cómo será dentro de 20 o 30 años. Usa las ideas del recuadro.

- ¿Habrá buzones de correo en las calles?
- ¿Habrá oficinas de correos?
- ¿Habrá carteros(as)?
- ¿Cómo serán las estampillas? ¿Dónde se comprarán?
- ¿Existirán los telegramas?

Modelo

> Yo creo que los buzones desaparecerán de las calles. Ya casi nadie los utiliza.

> Pues yo creo que no desaparecerán, sino que permitirán introducir paquetes, además de cartas.

LOS BUENOS HÁBITOS

26 ¿Qué sabes?

▶ **Marca** y añade. ¿Qué hábitos te parecen buenos?

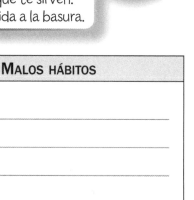

- ☐ Acostarte y levantarte siempre a la misma hora.
- ☐ Salir a menudo con tus amigos(as).
- ☐ Abrazar con frecuencia a tus seres queridos.
- ☐ Llamar con frecuencia a tus abuelos(as).
- ☐ Arrepentirte de acciones pasadas.
- ☐ Esforzarte para conseguir tus objetivos.
- ☐ Atreverte a probar cosas nuevas.
- ☐ Comerte todo lo que te ponen en el plato.
- ☐ Quejarte siempre de las cosas malas que te pasan.
- ☐ _____
- ☐ _____

27 Hablamos

▶ **Habla** con tu compañero(a). Comparen sus listas y justifiquen sus respuestas. Entre los dos, hagan una lista única de buenos y malos hábitos. Usen verbos pronominales.

Modelo

Yo creo que comerte todo lo que te ponen en el plato no siempre es bueno. Si es demasiado, puedes enfermar.

Pues yo creo que siempre tienes que comerte todo lo que te sirven. No se puede tirar comida a la basura.

Buenos hábitos	Malos hábitos

▶ **Presenten** su lista a la clase. ¿Coinciden sus hábitos con los de sus compañeros(as)?

Nombre: ....   **Fecha:** ....

LA TELEVISIÓN

28 **¿Qué sabes?**

▶ **Responde** a las preguntas.

1. ¿Cuántos televisores hay en tu casa? ¿Tienes televisor en tu habitación?

_____

2. ¿Ves la televisión todos los días? ¿Qué tipo de programas sueles ver?

_____

29 **¿Comprendes?**

▶ **Escucha** un fragmento de un programa radiofónico y elige el tema que trata.

☐ Los hábitos televisivos de los niños y los jóvenes.

☐ La influencia de la televisión en la vida familiar.

☐ La violencia en las series de televisión.

▶ **Escucha** de nuevo y responde a estas preguntas.

1. Según el primer hombre que interviene, ¿en qué caso puede la televisión influir positivamente en la vida familiar?

_____

2. ¿Por qué cree el segundo hombre que la televisión influye especialmente en los niños y los jóvenes?

_____

_____

3. Según la mujer, ¿qué efecto tiene la televisión en su relación de pareja?

_____

30 **Y tú, ¿qué opinas?**

▶ **Escribe** tu propia respuesta a la pregunta de la locutora: «¿Cree usted que la televisión influye en los comportamientos de una familia?».

_____

_____

_____

LAS REDES SOCIALES

31 **¿Qué sabes?**

▶ **Escribe** la respuesta a estas preguntas.

1. ¿Eres usuario(a) de alguna red social? ¿De qué redes?

_____

2. ¿Para qué utilizas las redes sociales?

_____

3. ¿Aceptas como amigos(as) a personas desconocidas? ¿Por qué?

_____

4. ¿Prefieres estar conectado(a) a salir con tus amigos(as)?

_____

5. ¿Te diste de baja en alguna red social? ¿Por qué?

_____

32 **¿Comprendes?**

▶ **Escucha** los resultados de una encuesta sobre los jóvenes y las redes sociales e indica si las afirmaciones son ciertas (C) o falsas (F).

1. El 70% de los jóvenes encuestados es usuario de una red social.	C	F
2. En Ecuador, la mayor parte de los jóvenes usa alguna red social.	C	F
3. La mitad de los encuestados piensa que su vida sería aburrida sin las redes sociales.	C	F
4. La mayoría de los encuestados prefiere estar con sus amigos a estar conectado.	C	F
5. Casi la mitad de los encuestados se conecta al menos dos veces al día.	C	F

33 **Y tú, ¿qué opinas?**

▶ **Escribe** tu opinión. ¿Estás de acuerdo con los resultados de la encuesta? ¿Por qué? ¿Hay algún dato que te sorprenda? ¿Cuál?

_____

_____

_____

_____

_____

_____

Nombre: _____   Fecha: _____

LA GENERACIÓN INTERACTIVA

34 **¿Qué sabes?**

▶ **Redacta** con tu compañero(a) un cuestionario sobre el uso de Internet.

> Encuesta sobre el uso de Internet
>
> 1. ¿Para qué sueles usar Internet? (Es posible más de una respuesta)
>
>   a. Para visitar páginas web.   c. Para compartir fotos y videos.
>
>   b. Para usar las redes sociales.   d. Para utilizar el correo electrónico.
>
> 2. _____
>
>   a. _____   c. _____
>
>   _____   _____
>
>   b. _____   d. _____
>
>   _____   _____
>
> 3. _____
>
>   a. _____   c. _____
>
>   _____   _____
>
>   b. _____   d. _____
>
>   _____   _____

35 **Hablamos**

▶ **Haz** la encuesta entre tus compañeros(as) de clase y recoge los resultados en la tabla. Marca con una cruz o un punto cada respuesta.

	a	b	c	d
1				
2				
3				

▶ **Habla** con tus compañeros(as). Contrasta tus resultados y preséntaselos a la clase utilizando expresiones de cantidad.

Modelo

> La mayoría de los compañeros encuestados utiliza Internet para compartir fotos y videos.

LA PRENSA EN INTERNET

36 **¿Qué sabes?**

▶ **Responde** a las preguntas.

1. ¿Utilizas Internet para leer la prensa? ¿Con qué frecuencia?

_____

2. ¿Qué tipo de publicaciones has consultado alguna vez en Internet?

_____

3. ¿Eran publicaciones gratuitas o de pago? ¿Crees que las publicaciones deben ser gratuitas?

_____

37 **Hablamos**

▶ **Debate** con tus compañeros(as). ¿Se debe pagar por leer la prensa en Internet? Usa las afirmaciones del recuadro y justifica tus propias opiniones.

> - Si la prensa en Internet no cobra (charge) a los usuarios, desaparecerá en unos años.
> - La prensa debe financiarse por la publicidad y no cobrar a sus lectores.
> - Deberían cobrar solo por algunos servicios, como consultar el archivo, pero no por leer los titulares.
> - Para mantener la prensa de calidad, seria, con fuentes fiables y de investigación, hay que pagar por ello.
> - Si la prensa cobra por leer su edición en Internet, los lectores no pagarán y leerán las noticias en los blogs.
> - En Internet todo debe ser gratis.

Modelo

> Yo creo que deberíamos pagar por leer la prensa en Internet, como pagamos al comprar la prensa en papel.

> A mí me parece que deberían cobrar muy poco porque al publicar en Internet, no tienen que pagar el papel.

▶ **Resume** la opinión de la clase y tu propia opinión sobre el tema de debate.

_____

_____

_____

_____

Nombre: _____   **Fecha:** _____

LA CARTA PERDIDA

38 **¿Qué sabes?**

▶ **Marca** y añade. ¿Qué razones pueden hacer que un envío postal no llegue a su destino?

☐ La dirección del/de la destinatario(a) no es correcta.

☐ No lleva suficientes estampillas.

☐ No está escrito el/la remitente en el sobre.

☐ _____

39 **¿Comprendes?**

▶ **Escucha** la noticia y responde.

1. ¿Dónde y cuándo se conocieron David y Ana? ¿Qué edad tenían?

   _____

2. ¿Cómo envió David la carta?

   _____

3. ¿Por qué la carta de David no llegó puntualmente a su destino?

   _____

4. ¿Qué hizo Ana cuando finalmente recibió la carta?

   _____

5. ¿Cómo terminó la historia de Ana y David?

   _____

▶ **Explica.** ¿Qué opinas de la historia de Ana y David?

   _____
   _____

40 **Ahora tú**

▶ **Escribe** una anécdota real o una noticia inventada relacionada con el servicio postal y la correspondencia.

   _____
   _____
   _____

LOS NIÑOS Y LAS RUTINAS

41 **¿Qué sabes?**

▶ **Marca** y añade. ¿Qué rutinas seguías cuando eras niño(a)?

☐ Me duchaba siempre por la noche.

☐ Cenaba viendo la televisión.

☐ Leía un cuento antes de dormirme.

☐ Me acostaba siempre a la misma hora.

☐ Me levantaba siempre a la misma hora.

☐ Veía la televisión hasta tarde.

☐ Hacía los deberes siempre en mi habitación.

☐ _____

42 **¿Comprendes?**

🎧 ▶ **Escucha** la presentación del nuevo programa de radio llamado *Supercanguro* y contesta. ¿A quién se dirige el programa?

_____

🎧 ▶ **Escribe** tres consejos de la Supercanguro para que los niños duerman bien.

1. _____

2. _____

3. _____

🎧 ▶ **Resume** con tus palabras la regla fundamental de la Supercanguro para crear buenos hábitos en los niños.

_____

_____

_____

43 **Ahora tú**

▶ **Explica.** Las rutinas no solo son buenas para los(as) niños(as). ¿Qué buenas rutinas sigues tú?

_____

_____

_____

_____

Nombre: .... **Fecha:** ....

LA TELEVISIÓN Y TÚ

44 **¿Qué sabes?**

▶ **Completa** estas oraciones para describir tus gustos e intereses relacionados con la televisión y sus programas.

1. Me gusta(n) _____

2. Me aburre(n) _____

3. Me divierte(n) _____

4. Me molesta(n) _____

5. Me interesa(n) _____

6. Me enoja(n) _____

45 **Hablamos**

▶ **Habla** con tus compañeros(as) sobre sus gustos e intereses televisivos. ¿Qué programas les interesan más? ¿Qué programas les molestan o les enojan? Compárenlos.

▶ **Haz** una encuesta sobre los gustos y aficiones de tus compañeros(as) y presenta los resultados con la ayuda de un gráfico de barras.

Modelo

> A casi nadie le gustan los concursos. En cambio, a la mitad de la clase le interesan los informativos y a la mayoría le gustan las series.

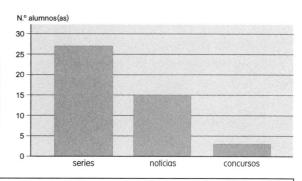

N.º alumnos(as)

series   noticias   concursos

LAS TECNOLOGÍAS DIGITALES

46 **¿Qué sabes?**

▶ **Lee** estos párrafos de un blog sobre la influencia de las tecnologías digitales en los(as) niños(as) y los(as) jóvenes. ¿Qué efectos positivos y negativos tienen estas tecnologías sobre ellos(as)? Completa el cuadro.

> **Los niños y la tecnología**
>
> En muchos casos aprovechamos la gran influencia de los dispositivos electrónicos en el comportamiento de los niños. ¿Es esta la actitud correcta?
>
> Existen videojuegos o blogs perjudiciales, pero los hay que ayudan a los más pequeños a solucionar conflictos, aprender o despertar la curiosidad y a pensar en la toma de decisiones.
>
> En el pasado se rechazaban las actividades tecnológicas como si estas afectaran a la cultura y las socializaciones, pero ahora se ven como un medio didáctico. Está demostrado que el uso del ordenador en la enseñanza de menores de edad mejora su capacidad de atención. Sin embargo, cada cierto tiempo surge una nueva investigación sociológica sobre cómo la utilización extrema de tecnología en niños y adolescentes causa adicción.
>
> Por otro lado, los niños comparten cada vez menos actividades con sus familias e invierten más tiempo en sus cuartos jugando solos con el ordenador, entablando amistades, compartiendo actividades en redes sociales, o contando sus vivencias en blogs.
>
> Fuente: blog.catedratelefonica.deusto.es (texto adaptado)

EFECTOS POSITIVOS	EFECTOS NEGATIVOS
El uso de ordenadores mejora la capacidad de atención.	

47 **Hablamos**

▶ **Debate** con tus compañeros(as). ¿Es positiva la influencia de las nuevas tecnologías en el desarrollo de los(as) jóvenes? Razona tus opiniones.

Modelo

A mí me parece que las nuevas tecnologías son una herramienta muy útil para aprender.

Nombre: _____   **Fecha:** _____

LA VACUNA CONTRA LA MALARIA

1 **¿Qué sabes?**

▶ **Relaciona** las columnas para formar oraciones.

Ⓐ

Ⓑ

1. El doctor Patarroyo es	a. fiebre, escalofríos y sudoración.
2. Durante años ha trabajado para conseguir	b. la muerte.
3. La malaria es	c. la vacuna contra la malaria.
4. Se transmite por	d. una enfermedad infecciosa.
5. Los síntomas son	e. la picadura (*bite*) de un mosquito.
6. Puede llegar a causar	f. sobre todo en África.
7. Es un grave problema de salud	g. un científico colombiano.

2 **¿Comprendes?**

▶ **Escucha** una entrevista al doctor Patarroyo y responde a las preguntas.

1. ¿Por qué se le hace la entrevista al doctor Patarroyo?

_____

_____

2. Además de que combate la malaria, ¿por qué es tan importante el desarrollo de esta vacuna?

_____

_____

3. ¿En qué otras dos enfermedades está trabajando el equipo del doctor Patarroyo?

_____

_____

4. ¿Qué intereses mueven al doctor Patarroyo a desarrollar su trabajo?

_____

3 **Ahora tú**

▶ **Habla** con tus compañeros(as). ¿Contra qué enfermedades les gustaría que existieran vacunas? ¿Por qué?

Modelo

Me gustaría mucho que hubiera una vacuna contra el acné.

Español Santillana. Speaking and Listening Workbook. Unidad 2

33

PALABRAS ENCADENADAS

4 Vocal + vocal

▶ **Escucha** y repite. Presta atención al enlace de las vocales entre palabras.

1. ¿Cómo_estás?
2. Voy_a_estudiar.
3. ¿De dónde_eres?
4. ¿Está_en casa?
5. Vivo_en Perú.
6. Habla_español.
7. No_importa.
8. No lo_oigo.
9. Se_ha_ido ya.

▶ **Lee** de nuevo en voz alta las oraciones anteriores.

5 Enlaces

▶ **Dibuja** los enlaces entre las vocales de las palabras. Después, escucha y repite.

1. Se encuentra enfermo.
2. Te espero.
3. Viene enseguida.
4. ¡La encontré!
5. Me he caído.
6. Ponte el chaleco.

6 Consonante + vocal

▶ **Escucha** y repite. Presta atención a los enlaces entre palabras.

1. ¿Quieres_este?
2. ¿Quién_es_ese?
3. ¿Quieren tomar_algo?
4. ¿Los_has_oído?
5. ¿Estudian_español?
6. Van_en_autobús_a la_escuela.
7. ¿Verás_a Marta?
8. Me gusta_estar_en casa.
9. Quiero_ir_al cine_esta tarde.
10. ¿Buscan_a_alguien_en concreto?

▶ **Lee** de nuevo en voz alta las oraciones anteriores.

7 Consonante + consonante

▶ **Dibuja** los enlaces entre las consonantes iguales de las palabras. Después, escucha y repite.

1. Quiero salir rápido.
2. Me gustan los sombreros.
3. ¿Les suena esta canción?
4. Estas sillas están nuevas.
5. Vivo en Ciudad de México.
6. No digan nada más.

8 En verso

▶ **Escucha** y repite estos versos. Presta atención a los enlaces entre palabras.

> Yo sueño que estoy aquí,
> de estas prisiones cargado;
> y soñé que en otro estado
> más lisonjero[1] me vi.
> ¿Qué es la vida? Un frenesí[2].
>
> ¿Qué es la vida? Una ilusión,
> una sombra, una ficción,
> y el mayor bien es pequeño;
> que toda la vida es sueño,
> y los sueños, sueños son.
>
> 1 *flattering*   2 *frenzy*
>
> CALDERÓN DE LA BARCA (1600-1681, España).
> *La vida es sueño* (selección)

Nombre: ....   Fecha: ....

UNA RECETA

9 **¿Qué sabes?**

▶ **Empareja** los ingredientes con su nombre.

A	B	C

_____ *las papas*
_____ *las cebollas*
_____ *el huevo duro*
_____ *las naranjas*
_____ *el bacalao*
_____ *el aceite de oliva*
_____ *el vinagre*

D	E	F	G

10 **¿Comprendes?**

▶ **Escucha** una receta e indica si las afirmaciones son ciertas (C) o falsas (F).

1. Es la receta de un asado.	C	F
2. Es una receta muy fácil de preparar.	C	F
3. El bacalao se añade crudo.	C	F
4. Se tarda muy poco en preparar esta receta.	C	F

▶ **Escucha** de nuevo y responde a las preguntas.

1. ¿Qué se cuece(n)? _____

2. ¿Qué se corta(n) en rodajas (*slices*)? _____

3. ¿Qué se añade(n) muy bien picada(s)? _____

11 **Ahora tú**

▶ **Escribe** una receta con al menos dos ingredientes de la ensalada malagueña.

_____

_____

_____

_____

_____

PONER LA MESA

12 **¿Qué sabes?**

▶ **Marca** y añade. ¿Qué elementos necesitas para poner la mesa?

☐ la cuchara   ☐ la lámpara   ☐ la copa   ☐ la servilleta

☐ la cuchara de postre   ☐ el cuchillo   ☐ el mantel   ☐ el plato

☐ el tenedor   ☐ el comedor   ☐ las sillas   ☐ _____

13 **¿Comprendes?**

▶ **Escucha** una conversación sobre cómo se pone la mesa y completa las oraciones.

1. El cuchillo y _____ se colocan a la derecha del plato.

2. _____ se coloca en la parte superior del plato.

3. _____ se coloca a la derecha del plato, debajo del cuchillo y la cuchara.

4. El platillo para el pan se coloca a la _____ .

▶ **Reescribe** las oraciones en las que falta uno o varios pronombres.
Después, escucha de nuevo la conversación y comprueba tus respuestas.

CORREGIR

> 1. Estira bien, no dejes arrugas.
> _____
>
> 2. Pon en la parte superior de los platos, con el mango hacia la derecha.
> _____
> _____
>
> 3. ¡Ha caído una copa y ha roto! Lo siento.
> _____

14 **Ahora tú**

▶ **Habla** con tus compañeros(as). ¿Cómo ponen la mesa en su casa?

Modelo

> En mi casa las servilletas se suelen poner encima de los platos.

> ¡Ah! En la mía también.

Nombre: ....   **Fecha:** ....

EN EL RESTAURANTE

15 **¿Qué sabes?**

▶ **Lee** las cartas y subraya los platos de pescado.

La Misión

ENTRADAS
Ensalada de salmón ahumado
Berenjenas gratinadas
Huevos con papas y jamón

PLATOS PRINCIPALES
Lubina a la sal
Solomillo a la plancha con arroz

POSTRES
Sorbete de limón
Mousse de chocolate

≈ La Limeña ≈

– PLATOS FRÍOS –
Causa de pulpo
Ceviche picante
Tiradito de atún

– PLATOS CALIENTES –
Anticuchos de pez mantequilla
Ají de gallina

– POSTRES –
Suspiro a la limeña
Trufas de chocolate

16 **Hablamos**

▶ **Habla** con tu compañero(a). ¿A qué restaurante prefieren ir con sus amigos(as)?
¿Qué menú prefieren para el grupo? Elijan una entrada, un plato principal y un postre.

Modelo

> A mí me apetece probar la comida peruana.

> A mí también. Creo que es muy sabrosa.

MENÚ DE GRUPO

Entrada / Plato frío
_____

Plato principal / Plato caliente
_____

Postre
_____

LAS BUENAS MANERAS EN LA MESA

17 **¿Qué sabes?**

▶ **Marca** y añade las costumbres que te parezcan de mala educación en la mesa.

☐ Apoyar los codos en la mesa.

☐ Masticar (*chew*) con la boca abierta.

☐ Hablar con la boca llena.

☐ No limpiarse los labios antes de beber.

☐ Hacer ruido al sorber una bebida.

☐ Empezar a comer antes de que todo el mundo esté servido.

☐ _____

18 **Hablamos**

▶ **Habla** con tu compañero(a). ¿Qué cinco normas fundamentales le enseñarían a un(a) niño(a) para comportarse bien en la mesa?

Modelo

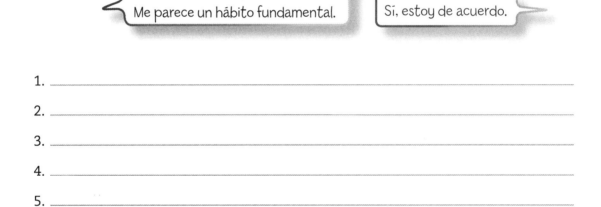

No se mastica con la boca abierta.
Me parece un hábito fundamental.

Sí, estoy de acuerdo.

1. _____

2. _____

3. _____

4. _____

5. _____

▶ **Compara** las costumbres a la mesa en los Estados Unidos y otros países.
¿Qué diferencias hay? ¿Qué similitudes? Anoten algunas.

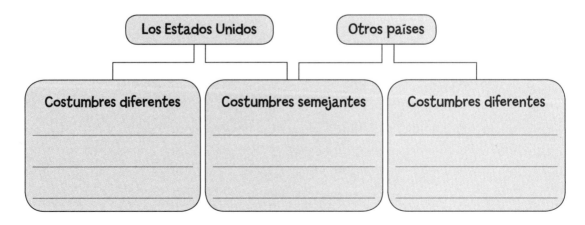

Los Estados Unidos		Otros países
Costumbres diferentes	**Costumbres semejantes**	**Costumbres diferentes**

Nombre: ....   **Fecha:** ....

SÍNTOMAS PREOCUPANTES

19 **¿Qué sabes?**

▶ **Marca** en la primera columna. ¿Qué síntomas crees que necesitan una atención médica urgente?

	Antes de escuchar	Después de escuchar
1. Toser y estornudar.	☐	☐
2. Tener un fuerte dolor en el pecho.	☐	☐
3. Respirar con dificultad.	☐	☐
4. Ver doble.	☐	☐
5. Estar muy, muy cansado.	☐	☐
6. Vomitar persistentemente.	☐	☐
7. Tener náuseas.	☐	☐

20 **¿Comprendes?**

▶ **Escucha** a un especialista hablar de los síntomas que necesitan una atención médica urgente. Márcalos en la segunda columna de la actividad anterior y escribe los síntomas que faltan.

1. _____

2. _____

3. _____

4. _____

5. _____

21 **Ahora tú**

▶ **Investiga** y escribe una lista de otros síntomas por los que se debe acudir al médico.

_____

_____

_____

_____

LA DIABETES

22 ¿Qué sabes?

▶ **Completa** esta definición con las palabras del recuadro. ¿Qué es la diabetes?

síntoma	insulina	sangre	glucosa	enfermedades

La diabetes

Diabetes es un término que designa a numerosas _____.

No obstante, cuando se habla de diabetes se suele hacer referencia a la más

común, la *diabetes mellitus*, que tiene un _____ principal:

el aumento de la concentración de _____ en la _____

causado normalmente por una deficiencia en la secreción de una hormona

por parte del páncreas: la _____.

23 ¿Comprendes?

▶ **Escucha** a una especialista hablar sobre la diabetes infantil y responde.

1. ¿Qué tres síntomas son característicos de esta enfermedad en los niños?

    _____

    _____

2. ¿En qué tres acciones se basa el tratamiento?

    _____

    _____

3. ¿Con qué se relaciona la diabetes del adulto?

    _____

    _____

24 Ahora tú

▶ **Investiga** y escribe. ¿Qué síntomas de diabetes muestra un(a) adulto(a)? ¿Cómo se
puede prevenir la enfermedad? ¿Cómo se controla?

_____

_____

_____

_____

Nombre: ....　**Fecha:** ....

CÓMO ACTUAR ANTE UN ACCIDENTE

25 ¿Qué sabes?

▶ **Indica** si las siguientes afirmaciones son adecuadas (Sí) o no (No).
¿Cómo debes actuar en caso de presenciar un accidente de tránsito?

	Sí	No
1. Espera siempre al personal de emergencias antes de actuar.	☐	☐
2. Protege la zona para que no se produzcan más accidentes.	☐	☐
3. Evalúa el estado de las víctimas.	☐	☐
4. Atiende primero a los(as) heridos(as) más graves.	☐	☐
5. Saca a todos los(as) accidentados(as) de su vehículo.	☐	☐

26 Hablamos

▶ **Comenta** con tu compañero(a) las afirmaciones anteriores. ¿Cuáles les parecen
inadecuadas? ¿Por qué? Escriban otras cinco recomendaciones adecuadas.
Utilicen algunos de los verbos del recuadro.

asistir a	ayudar a	acordarse de	buscar	escuchar
esperar	fijarse en	insistir en	mirar	pedir

Modelo

> Hay que llamar enseguida a los servicios de emergencias y pedir ayuda.

> Sí, y hay que fijarse en el lugar exacto en el que se ha producido el accidente para indicárselo.

Cómo actuar ante un accidente de tránsito

1. _____
2. _____
3. _____
4. _____
5. _____

▶ **Compartan** sus recomendaciones con sus compañeros(as). ¿Les parecen adecuadas?

LAS VACUNAS

27 **¿Qué sabes?**

▶ **Lee** el siguiente artículo y responde a las preguntas.

Vacunas: ¿a favor o en contra?

Este año se ha multiplicado el número de enfermos de sarampión (*measles*) en nuestro país. En lo que llevamos de año ha habido 1.300 casos, cinco veces más de los que hubo en todo el año anterior.

Una de las razones por las que este tipo de enfermedades, que estaban prácticamente erradicadas, han vuelto a aparecer es la negativa de muchos padres a vacunar a sus hijos.

Son muchas las familias que se manifiestan en contra de las vacunas y optan por no ponérselas a sus hijos utilizando argumentos como que no vacunar a los niños refuerza su sistema inmunitario o

que algunas vacunas tienen mayores efectos secundarios (*sideeffects*) que ventajas. Y tú, ¿qué opinas?

Fuente: www.serpadres.es (texto adaptado)

1. ¿Qué argumentos en contra de las vacunas manifiestan algunas familias?

_____

_____

2. ¿Y tú qué opinas sobre las vacunas? ¿Qué ventajas tienen?

_____

_____

28 **Hablamos**

▶ **Habla** con tus compañeros(as) y expón tu opinión. ¿Crees que las vacunas deben ser obligatorias? ¿Qué opinas del hecho de que algunos padres opten por no vacunar a sus hijos(as)?

Modelo

Yo creo que son más los beneficios de vacunar a los niños que los posibles efectos secundarios.

Yo creo que las vacunas no deben ser obligatorias porque...

Nombre: _____   **Fecha:** _____

UNA ETAPA DE CAMBIOS

29 **¿Qué sabes?**

▶ **Completa** estas oraciones para hablar de tus estados anímicos.

1. Estoy de buen humor cuando _____

2. Me enojo cuando _____

3. Estoy feliz porque _____

4. Estoy desanimado(a) porque _____

5. Estoy harto(a) de _____

30 **¿Comprendes?**

▶ **Escucha** el programa de radio sobre la adolescencia y resume. ¿Cómo se sienten los jóvenes?

David: _____
_____
_____

Manuel: _____
_____
_____

Sara: _____
_____
_____

31 **Ahora tú**

▶ **Piensa** y escribe. ¿Te identificas con los sentimientos de los(as) jóvenes del programa? Explica por qué y comparte tu experiencia con la clase.

_____
_____

UNA BODA REAL

32 ¿Qué sabes?

▶ **Observa** la fotografía y responde a las preguntas.

1. ¿Quiénes son las personas de la fotografía?

_____

_____

2. ¿Qué están celebrando?

_____

_____

33 ¿Comprendes?

▶ **Escucha** un reportaje de radio sobre una boda real *(royal)* y responde a las preguntas.

1. ¿De quien habla el reportaje? ¿Quiénes son esas personas?

_____

2. ¿En que trabajaba Letizia Ortiz antes de su boda?

_____

3. ¿Cuánto tiempo fueron novios Felipe de Borbón y Letizia Ortiz?

_____

4. ¿Cuándo y dónde se casaron?

_____

5. ¿Adónde fueron de luna de miel *(honeymoon)*?

_____

▶ **Escucha** de nuevo y completa las oraciones con los verbos correctos.

1. El noviazgo de Felipe y Letizia _____se mantuvo_____ en secreto durante dos años.

2. La boda _____ en la catedral de La Almudena de Madrid.

3. Treinta casas reales y quince jefes de Estado _____ a la boda.

4. Los invitados _____ en autobuses de la iglesia al Palacio Real.

34 Ahora tú

▶ **Explica.** ¿Cómo crees que cambió la vida de Letizia Ortiz cuando se casó?

_____

_____

_____

Nombre: ....   **Fecha:** ....

¿ESTÁS DE MAL HUMOR?

35 **¿Qué sabes?**

▶ **Lee** este artículo y subraya las causas del mal humor que se mencionan.

¿De dónde viene el mal humor?

Un amigo comenta que hace unos días intentó entrar en la web *elmalhumor. blogspot.com*. Es una revista digital llamada *El malHumor* que trata del mal humor en tono de humor. Y ese amigo se puso de mal humor porque asegura que no consiguió abrir la web y le bloqueó Internet. También confiesa que enseguida se le pasó el enfado y quedó con unos amigos para dar un pequeño paseo por la playa, o al revés, dio el paseo y se puso contento.

Marc Gascons, del restaurante ElsTinars, confiesa que le pone de mal humor no poder comer cuando tiene hambre. En cambio, a Ricky Mandle, creador de los productos Delishop, le cambia el carácter cuando no encuentra lo que busca o «cuando esperas una cosa que no sucede».

Fuente: www.lavanguardia.com
(texto adaptado)

▶ **Piensa.** ¿Qué hace que estés de buen humor o de mal humor? Completa el gráfico.

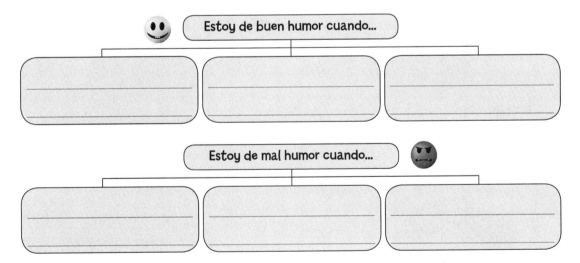

36 **Hablamos**

▶ **Habla** con tus compañeros(as). ¿Qué les hace sentirse de mal humor? ¿Y de buen humor? Escribe el principal motivo de buen humor y de mal humor para la clase.

....

....

IMPROVISANDO

37 **¿Qué sabes?**

▶ **Piensa** y escribe oraciones con estas expresiones.

1. ser orgulloso(a) _____

2. ser atento(a) _____

3. estar listo(a) _____

4. estar malo(a) _____

5. ser rico(a) _____

6. ser verde _____

7. estar seguro(a) _____

8. estar callado(a) _____

38 **Hablamos**

▶ **Habla** con tu compañero(a). Por turnos, digan las oraciones que han escrito e improvisen una respuesta adecuada.

Modelo

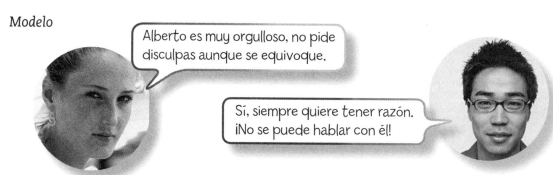

Alberto es muy orgulloso, no pide disculpas aunque se equivoque.

Sí, siempre quiere tener razón. ¡No se puede hablar con él!

▶ **Improvisa** un diálogo con tu compañero(a) delante de la clase. Traten de utilizar todas las expresiones anteriores que puedan. Sean creativos(as).

Modelo

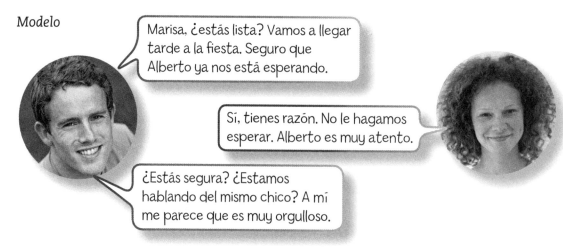

Marisa, ¿estás lista? Vamos a llegar tarde a la fiesta. Seguro que Alberto ya nos está esperando.

Sí, tienes razón. No le hagamos esperar. Alberto es muy atento.

¿Estás segura? ¿Estamos hablando del mismo chico? A mí me parece que es muy orgulloso.

▶ **Habla** con tus compañeros(as). Entre todos(as), elijan el diálogo más divertido.

Nombre: ....   **Fecha:** ....

LOS ALIMENTOS MÁS SALUDABLES

39 **¿Qué sabes?**

▶ **Marca** los diez alimentos más saludables de esta lista.

☐ las almendras   ☐ las manzanas   ☐ el germen de trigo (*wheat germ*)

☐ el brócoli   ☐ las legumbres   ☐ los pescados grasos o azules

☐ el azúcar   ☐ la leche   ☐ las verduras de hojas verdes

☐ las papas   ☐ la carne roja   ☐ los arándanos (*cranberries*)

☐ los jugos de vegetales ☐ el aceite   ☐ la batata (*sweet potato*)

40 **¿Comprendes?**

▶ **Escucha** una noticia sobre los alimentos saludables
y revisa la lista anterior. Después, completa las oraciones.

1. Las manzanas ayudan a _____

2. Los pescados grasos o azules previenen _____

3. La espinaca ayuda a mantener sanos _____

▶ **Responde** a las preguntas.

1. ¿Qué alimento de la lista contiene mucho calcio y vitamina E?

_____

2. ¿Qué alimento es muy rico en fibra y vitamina C?

_____

41 **¿Qué sabes?**

▶ **Escribe** una receta que incluya algún alimento saludable.

_____

_____

_____

_____

▶ **Comparte** tu receta con tus compañeros(as). ¿Qué platos les gustan más?

_____

LOS ALIMENTOS Y LOS ESTADOS ANÍMICOS

42 **¿Qué sabes?**

▶ **Relaciona** ambas columnas. ¿Qué efectos en el estado anímico suelen asociarse a estos alimentos?

Ⓐ

1. El chocolate
2. El café
3. Las infusiones
4. Un vaso de leche caliente
5. Los frutos secos
6. Los alimentos grasos

Ⓑ

a. dan energía.
b. pone nervioso(a).
c. producen cansancio.
d. tranquilizan.
e. quita la tristeza.
f. relaja.

43 **¿Comprendes?**

▶ **Escucha** un programa de radio sobre la alimentación y responde.

1. ¿Cómo se explica la relación que hay entre determinados alimentos y el estado anímico?

_____

_____

2. Según algunos estudios científicos, ¿cuáles son los cuatro «alimentos felices» naturales más efectivos?

_____

3. ¿Qué estados anímicos suelen estar asociados a una dieta desequilibrada?

_____

_____

▶ **Escucha** y responde. ¿Qué alimentos te pueden ayudar en estos casos?

1. Si estás triste: _____

2. Si estás de mal humor: _____

3. Si estás deprimido(a): _____

4. Si estás estresado(a): _____

44 **Ahora tú**

▶ **Explica.** ¿Has experimentado alguna vez una relación entre la comida y tu estado de ánimo? ¿Qué alimentos comes y en qué situaciones?

_____

_____

Nombre: .... **Fecha:** ....

CÓMO ACTUAR ANTE UN CASO DE INFARTO

45 **¿Qué sabes?**

▶ **Relaciona** cada verbo con uno o varios complementos.

(A)

1. Poner
2. Hacer
3. Tomar

(B)

a. boca arriba *(face up)*.
b. la respiración boca a boca.
c. el pulso.
d. un masaje cardíaco.
e. en posición de recuperación.

46 **Hablamos**

▶ **Habla** con tu compañero(a). Observen las ilustraciones y escriban un breve texto explicativo para cada escena.

1
_____
_____
_____
_____

2
_____
_____
_____

3
_____
_____
_____

4
_____
_____

▶ **Expliquen** y escenifiquen una de las escenas anteriores.

Modelo

Si la víctima está boca abajo, hay que ponerla boca arriba.

Se hace así.

QUIEN MUEVE LAS PIERNAS MUEVE... ¡EL ÁNIMO!

47 **¿Qué sabes?**

▶ **Escribe.** ¿Qué excusas solemos poner para no hacer ejercicio físico?

1. No estoy en forma y me canso mucho.

2. _____

3. _____

4. _____

5. _____

48 **Hablamos**

▶ **Compara** tu lista con la de tu compañero(a) y argumenten en contra de las excusas que han escrito.

Modelo

Si no haces ejercicio habitualmente, no puedes hacer mucho ejercicio de pronto. Tienes que ir moviéndote poco a poco.

Sí, puedes caminar un poco cada día. Por ejemplo, bájate del autobús una parada antes de la tuya.

▶ **Habla** con tus compañeros(as). Entre todos(as), hagan una lista de recomendaciones para hacer ejercicio cada día.

Para hacer ejercicio cada día

1. Acostúmbrate a caminar una hora cada día.

_____

_____

_____

_____

_____

_____

_____

Nombre: .... Fecha: ....

EL MERCOSUR

1 **¿Qué sabes?**

▶ **Completa** este texto con las palabras del recuadro.

| negocios | productos | acuerdo | integración | intereses |

¿Qué es el Mercosur?

El Mercosur es un _____ entre países de América del Sur, creado

con el objetivo de lograr una mayor _____ de sus economías

y así mejorar la vida de sus habitantes. Mediante este acuerdo, los países

pueden hacer _____ para aumentar el comercio entre ellos.

También les permite a los países desarrollarse y fortalecer sus

_____ en el mundo. ¡Cuando los países se unen, tienen más fuerza

para comprar y vender _____ a otros países del mundo!

Fuente: www.mercosur.int (texto adaptado)

2 **¿Comprendes?**

▶ **Escucha** un fragmento de una conferencia sobre el Mercosur e indica
si las afirmaciones son ciertas (C) o falsas (F).

1. El Mercosur está integrado por países de todo el mundo.	C	F
2. Los países fundadores son Argentina, Brasil, Paraguay y Uruguay.	C	F
3. El Mercosur ha ayudado a superar antiguos enfrentamientos entre países vecinos.	C	F
4. Se trata de un acuerdo solamente económico y comercial.	C	F
5. Es una condición imprescindible que los Estados miembros sean democráticos.	C	F

3 **Ahora tú**

▶ **Busca** alguna noticia reciente relacionada con el Mercosur. Resúmela y cuéntasela
a tus compañeros(as).

....

....

....

LOS SONIDOS P, B, D, T, G, K

 4 **¿Sorda o sonora?**

 ▶ **Escucha** y subraya la palabra que escuches.

1. pata – bata
2. viña – piña
3. tan – dan
4. coma – goma

5. vino – pino
6. peso – beso
7. dé – té
8. cana – gana

9. gota – cota
10. pisa – visa
11. di – ti
12. poca – boca

▶ **Repite** en voz alta los pares de palabras.

 5 **Entre vocales**

 ▶ **Escucha** y completa las palabras con las letras *b*, *v*, *d* o *g*.
Recuerda que las letras *b* y *v* representan el mismo sonido B.

1. ha___er
2. a___ajo
3. a___iso
4. e___itar

5. de___o
6. ciu___ad
7. du___a
8. i___o

9. di___a
10. lle___a
11. la___o
12. a___ua

 ▶ **Escucha** de nuevo y repite las palabras.

6 **¿D o r?**

▶ **Escucha** y subraya la palabra que escuches.

1. cada – cara
2. mido – miro
3. todo – toro
4. dudo – duro

5. jugada – jugara
6. moda – mora
7. pudo – puro
8. cedo – cero

▶ **Repite** en voz alta los pares de palabras.

 7 **En verso**

 ▶ **Escucha** y lee estos versos tradicionales. Después, repítelos en voz alta.

1
Por vida de mis ojos
y de mi vida,
que por vuestros amores
ando perdida.

Por vida de mis ojos,
el caballero,
por vida de mis ojos,
bien os quiero.

ANÓNIMO

2
Ojos morenos,
¿cuándo nos veremos?

Ojos morenos,
de bonito color,
sois tan graciosos
que matáis de amor.

De amor, morenos,
¿cuándo nos veremos?

ANÓNIMO

Nombre: .... **Fecha:** ....

LA REPROBACIÓN INFANTIL

8 **¿Qué sabes?**

▶ **Escribe.** ¿Por qué se suele reprobar una materia?

....

....

....

9 **¿Comprendes?**

▶ **Escucha** un programa radiofónico sobre la reprobación infantil y responde.

1. Según el experto, ¿es lo mismo la reprobación infantil que el fracaso (*failure*) escolar? Explica su respuesta.

....

....

2. Según los participantes en el programa, ¿en qué se deben fijar los padres para ayudar a sus hijos?

....

....

3. Según el experto, ¿cómo deben actuar los padres de un chico que reprueba alguna materia y debe presentar exámenes extraordinarios?

....

....

4. ¿Qué técnicas de estudio nombra el experto?

....

....

10 **Y tú, ¿qué opinas?**

▶ **Habla** con tus compañeros(as). ¿Estás de acuerdo con el experto? ¿Cómo se puede ayudar a un(a) chico(a) que reprueba? Justifica tu opinión.

Modelo

Yo creo que si un chico reprueba varias asignaturas, debe recibir en la escuela un curso especial de técnicas de estudio.

EL GENOMA HUMANO

11 **¿Qué sabes?**

▶ **Relaciona** cada término con su definición.

(A)

(B)

1. Genoma

2. ADN

3. Secuenciar

4. Genética

a. Parte de la biología que estudia la transmisión de los caracteres hereditarios.

b. Establecer el orden de algo.

c. Ácido desoxirribonucleico, que constituye el material genético de las células.

d. Conjunto de los genes de un individuo o de una especie.

12 **¿Comprendes?**

▶ **Escucha** un breve reportaje sobre el genoma humano y responde. ¿Cuándo nació el Proyecto Genoma Humano? ¿Qué finalidad tenía?

_____

▶ **Indica** si las afirmaciones son ciertas (C) o falsas (F). Después, reescribe las falsas.

1. En el año 2003 se descifró la secuencia completa del genoma humano.   C   F

_____

2. El genoma del chimpancé es muy diferente al genoma humano.   C   F

_____

3. Cada persona tiene su propio genoma.   C   F

_____

4. La secuenciación del genoma permite diagnosticar enfermedades genéticas.   C   F

_____

▶ **Escucha** de nuevo y explica la aplicación médica a la que se refiere el reportaje.

_____

_____

13 **Ahora tú**

▶ **Investiga** sobre otras aplicaciones médicas de la secuenciación del genoma humano. Elige una y explícasela a tus compañeros(as).

Modelo

> He leído que, gracias a la secuenciación del genoma humano, ahora se pueden modificar los medicamentos para que se ajusten a las características genéticas del paciente y sean más efectivos.

Nombre: ....   **Fecha:** ....

LAS TAREAS ESCOLARES

14 **¿Qué sabes?**

▶ **Marca.** ¿Estás de acuerdo con estas afirmaciones sobre las tareas escolares?

Las tareas escolares…	Sí	No
1. Son necesarias para aprender a trabajar independientemente.	☐	☐
2. Favorecen el sedentarismo y la obesidad infantil.	☐	☐
3. Generan estrés en los(as) niños(as).	☐	☐
4. Fomentan el sentido de la disciplina interna y la responsabilidad.	☐	☐
5. Son una fuente de conflictos familiares.	☐	☐
6. Promueven el uso de otros recursos como la biblioteca, los materiales de referencia y sitios en Internet.	☐	☐
7. Integran el aprendizaje al utilizar varias destrezas para desarrollar una tarea.	☐	☐
8. Ayudan a mejorar la comunicación entre las familias y los(as) maestros(as).	☐	☐

15 **Hablamos**

▶ **Habla** con tus compañeros(as). ¿Son necesarias las tareas escolares? ¿Por qué? Defiende tu opinión y recoge los principales argumentos expuestos.

Modelo

Yo creo que son necesarias para fomentar la autonomía del alumno.

Yo creo que no se deberían hacer en casa, sino en la escuela con los profesores.

Argumentos a favor: ....

....

....

Argumentos en contra: ....

....

....

LAS INVESTIGACIONES MÁS DIVERTIDAS

16 ¿Qué sabes?

▶ **Lee.** ¿Crees que realmente se han realizado estas investigaciones científicas?

	Sí	No
1. *Los efectos secundarios de tragarse espadas (sword swallowing).*	☐	☐
2. *Análisis de las fuerzas requeridas para arrastrar (drag) una oveja.*	☐	☐
3. *¿Por qué a los pájaros carpinteros (woodpeckers) no les duele la cabeza?*	☐	☐
4. *¿Por qué una estatua de bronce no atrae a las palomas?*	☐	☐
5. *¿Por qué el ruido que hacen las uñas sobre una pizarra es tan molesto al oído humano?*	☐	☐

▶ **Investiga** sobre los Premios Ignobel que cada año concede la revista *The Annals of Improbable Research*. Elige una de las investigaciones premiadas y completa la ficha.

> **Los Premios Ignobel**
>
> Título: _____
>
> Premio concedido y año: _____
>
> Autores: _____
>
> Resumen: _____
>
> _____
>
> _____
>
> _____
>
> _____
>
> _____

17 Hablamos

▶ **Habla** con tus compañeros(as). Preséntales la investigación que has elegido. Ellos(as) pueden hacerte preguntas para comprender bien de qué se trata.

Modelo

> He elegido la investigación *¿Por qué los pájaros carpinteros no sufren dolores de cabeza?*, que recibió en el año 2006 el Premio Ignobel de Ornitología.

▶ **Elijan** entre todos(as) la investigación más divertida.

Nombre: .... **Fecha:** ....

EL COSTO DE LA VIDA

18 **¿Qué sabes?**

▶ **Completa** este texto con los términos del recuadro.

cesta de la compra	costo de la vida	deflación	inflación

Conceptos clave de economía

El conjunto de productos y servicios básicos que representa el consumo
de un hogar medio es la _____. Cuando los precios suben
de manera generalizada, los economistas hablan de _____.
Si suben los precios, sube el _____; es decir, vivir es más caro.
Pero si los precios bajan demasiado, también es negativo para la economía; este
fenómeno se llama _____ y es un indicador de crisis económica.

19 **¿Comprendes?**

▶ **Escucha** un reportaje radiofónico sobre el IPC y responde.

1. ¿Qué es el IPC o Índice de Precios al Consumo?

   _____

   _____

2. ¿Cuándo y dónde se elaboró por primera vez un IPC?

   _____

3. ¿Cómo se calcula el IPC?

   _____

   _____

4. ¿Para qué se utiliza el IPC?

   _____

   _____

20 **Ahora tú**

▶ **Piensa** e investiga. ¿Qué productos crees que deben tenerse en cuenta para elaborar
el IPC de tu país? Compara tu lista con la de tus compañeros(as).

_____

ECONOMÍA SOLIDARIA

21 **¿Qué sabes?**

▶ **Relaciona** cada término con su explicación.

(A)

(B)

a. Relación comercial que se establece con pequeños productores de países en vías de desarrollo que respetan las condiciones laborales de los trabajadores y el cuidado del medio ambiente.

1. Microcrédito

2. Empresa solidaria

b. Préstamo de una pequeña cantidad de dinero a personas que no pueden acceder a un crédito de los bancos tradicionales.

3. Comercio justo

c. Compañía que emplea parte de sus beneficios en luchar contra la pobreza mediante diversas iniciativas.

22 **¿Comprendes?**

▶ **Escucha** un programa de radio sobre economía solidaria y responde. ¿Quiénes intervienen además del locutor? ¿Cuál es la profesión de cada uno?

_____

_____

▶ **Completa** este resumen del texto.

• El profesor Hernández define la economía solidaria como _____

_____

Estos son algunos ejemplos: _____

_____

• Para Elvira Flores, las iniciativas solidarias son _____

_____

Ella considera que _____

_____ puede convertirse

en una acción solidaria.

23 **Ahora tú**

▶ **Escribe** dos iniciativas solidarias: una para tu escuela y otra para una empresa. Luego, compártelas con la clase.

_____

_____

_____

Nombre: ....   **Fecha:** ....

FINANCIACIÓN COLECTIVA

24 **¿Qué sabes?**

▶ **Responde** a las preguntas.

1. ¿Qué se necesita para realizar un proyecto?

_____

2. ¿A qué medios se puede recurrir para financiar un proyecto?

_____

▶ **Lee** el texto y responde. ¿Conoces algún proyecto que se haya financiado con la fórmula del *crowdfounding*? ¿Qué opinas de ese método?

> **¿Qué es el *crowdfunding*?**
>
> El *crowdfunding* es un nuevo método de financiación. Consiste en que emprendedores (*entrepreneurs*), científicos, artistas y, en general, gente con ideas, diseñan un proyecto, lo dan a conocer y, a través de la red, buscan personas que quieran participar económicamente para sacarlo adelante.

_____

_____

_____

25 **Hablamos**

▶ **Habla** con tus compañeros(as) sobre este modelo de financiación colectiva. Usen las preguntas como guía.

Modelo

A mí me parece una idea muy buena porque te permite realizar tus sueños aunque no tengas dinero.

1 ¿Qué ventajas aporta esta forma de financiación?

2. ¿Qué proyectos financiados de esta manera conoces?

3. ¿Qué proyectos financiarías tú?

4. ¿Tienes en mente algún proyecto propio que podrías financiar así?

Sí, y gracias al *crowdfunding* tu proyecto se convierte en el proyecto de mucha gente.

JÓVENES Y ECONOMÍA

26 **¿Qué sabes?**

▶ **Lee** el texto y resume con tus palabras el perfil de un «Joven Líder Mundial».

> **Los Jóvenes Líderes del Mundo**
>
> Cada año, el Foro Económico Mundial reconoce y rinde homenaje a un máximo de 200 jóvenes líderes de todo el mundo que destacan por sus logros profesionales, su compromiso con la sociedad y su potencial para contribuir a forjar el futuro del mundo.
>
> Para 2012, el Foro seleccionó a 192 Jóvenes Líderes Mundiales de 59 países. La nueva promoción proviene de Asia Oriental (38), Asia Meridional (19), Europa (46), Oriente Medio y África del Norte (15), África Subsahariana (18), América del Norte (37) y América Latina (19).
>
> Los homenajeados de 2012 pasarán a formar parte del Foro de Jóvenes Líderes Mundiales, una comunidad que actualmente está compuesta por 713 personas destacadas en la sociedad. Los Jóvenes Líderes Mundiales se comprometen activamente con la comunidad, esto es, participan en los eventos que organiza el Foro Económico Mundial y crean y dirigen un conjunto de iniciativas innovadoras y de grupos de trabajo. Estas actividades les permiten aprender unos de otros, adquirir conocimientos y tener mayor conciencia de los desafíos, las tendencias, los riesgos y las oportunidades existentes.
>
> Fuente: www3.weforum.org (texto adaptado)

Los Jóvenes Líderes Mundiales son _____

_____

_____

27 **Hablamos**

▶ **Habla** con tu compañero(a). ¿Cómo son y qué hacen las personas que forman parte del grupo de Jóvenes Líderes Mundiales? Usa oraciones de relativo.

Modelo

Son personas que trabajan en ámbitos profesionales diversos.

Y son jóvenes que destacan por su trabajo.

▶ **Escribe.** ¿Qué iniciativas proponen ustedes para mejorar la economía mundial? Entre todos(as), elijan las tres mejores.

1. _____

2. _____

3. _____

Español Santillana. Speaking and Listening Workbook. Unidad 3

Nombre: _____   Fecha: _____

EL CURRÍCULUM VÍTAE

28 **¿Qué sabes?**

▶ **Indica** en la primera columna si las afirmaciones son ciertas (C) o falsas (F).

	Antes de escuchar		Después de escuchar	
1. El currículum refleja el historial académico y profesional de una persona.	C	F	C	F
2. El currículum debe ocupar más de tres hojas.	C	F	C	F
3. Se pueden incluir como experiencia los proyectos realizados en la carrera.	C	F	C	F
4. Hay que incluir todos los datos personales.	C	F	C	F
5. El nivel de los idiomas que se manejan se debe expresar en tanto por ciento.	C	F	C	F

29 **¿Comprendes?**

▶ **Escucha** las recomendaciones de una especialista e indica en la actividad anterior si las afirmaciones son ciertas (C) o falsas (F). Después, reescribe las falsas.

1. _____

2. _____

3. _____

▶ **Escucha** de nuevo las recomendaciones y responde. ¿Qué es lo cocurricular? ¿Qué actividades cocurriculares nombra la especialista?

_____

_____

30 **Ahora tú**

▶ **Escribe.** ¿Qué información podrías incluir en tu currículum?

Experiencia: _____

_____

Actividades cocurriculares: _____

_____

Idiomas: _____

UNA NOTICIA SOBRE EMPLEO

31 **¿Qué sabes?**

▶ **Relaciona** las dos columnas.

(A)

1. Incrementar
2. Ocupación laboral
3. Emplear
4. Iniciativa

(B)

a. Contratar.
b. Decisión, medida.
c. Empleo, plaza de trabajo.
d. Aumentar.

32 **¿Comprendes?**

▶ **Escucha** una noticia sobre el empleo en Colombia y elige el mejor titular.

☐ Crece el desempleo entre los jóvenes colombianos.

☐ Se incrementa el empleo para jóvenes en Colombia.

☐ Aumenta el número de empleados en el comercio colombiano.

▶ **Escucha** de nuevo la noticia e indica si las afirmaciones son ciertas (C) o falsas (F).

1. El empleo entre los jóvenes creció más que el año pasado.   C   F

2. El comercio es una de las áreas en las que menos se incrementó.   C   F

3. El Gobierno cree que el aumento se debe a la Ley del Primer Empleo.   C   F

4. La Ley sube los impuestos (taxes) a las empresas que contraten a menores de 28 años.   C   F

33 **Ahora tú**

▶ **Redacta** en español una noticia sobre el empleo juvenil en tu país.

Titular ▶ _____

Entradilla ▶ _____
(lead)   _____

Cuerpo
de la noticia ▶ _____
_____
_____
_____
_____

Nombre: .... Fecha: ....

UNA ENTREVISTA DE TRABAJO

34 **¿Qué sabes?**

▶ **Lee** el texto sobre los tipos de preguntas en las entrevistas de trabajo. ¿Qué preguntas harías en una entrevista para cubrir el puesto del anuncio?

Tipos de preguntas en la entrevista de trabajo

- **Preguntas personales:** se trata de preguntas generales sobre aficiones e intereses. Suelen servir para romper el hielo.
- **Preguntas de experiencia:** son cuestiones orientadas a conocer más sobre la experiencia anterior y las labores realizadas.
- **Preguntas hipotéticas:** son preguntas del tipo «¿Qué harías si...?». Sirven para evaluar tus reacciones y tus habilidades de cara a resolver problemas concretos.
- **Preguntas de actitud y personalidad:** son preguntas que están dirigidas a conocer mejor tu actitud frente al trabajo y al puesto.
- **Preguntas sobre habilidades de primera línea o de refuerzo:** si solicitas un puesto en el que se trabaja de cara al cliente, este tipo de preguntas pondrán a prueba tus habilidades en ese terreno.
- **Preguntas técnicas:** son preguntas específicas sobre el área del puesto de trabajo que se ofrece. Sirven para evaluar tus conocimientos reales sobre la materia, no tus opiniones.

Fuente: www.entrevistadetrabajo.org (texto adaptado)

SE BUSCA RECEPCIONISTA CON ESPAÑOL
Requisitos
Experiencia laboral: No es necesaria.
Estudios mínimos: Título de Bachiller.
Requisitos mínimos: Dominio muy alto de español. Persona organizada y con vocación de servicio.
Se ofrece
Tipo de contrato: Indefinido.
Jornada laboral: A tiempo parcial.

1. _____
2. _____
3. _____
4. _____
5. _____
6. _____

35 **Hablamos**

▶ **Entrevista** a tu compañero(a) para ese puesto de trabajo. Después, intercambien los papeles.

Modelo

¿Tienes experiencia en trabajos de atención al público?

Sí, trabajé algunos veranos como recepcionista en un cámping.

MEJORAR EL CLIMA LABORAL

36 ¿Qué sabes?

▶ **Imagina** y completa. Si tú fueras uno(a) de estos(as) trabajadores(as), ¿qué medidas te gustaría que tomara tu empresa para mejorar tu vida y el clima laboral?

Tengo dos hijos y los veo muy poco. Me gustaría que mi empresa

_____

Estoy muy desmotivada porque no me llevo bien con mis compañeros

de trabajo. Desearía _____

Soy una mujer ambiciosa y me gustaría mucho ascender. Ojalá

_____

Me encanta hacer deporte y apenas tengo tiempo para entrenar.

Me gustaría _____

37 Hablamos

▶ **Habla** con tus compañeros(as) y exponles tus propuestas. Elijan las cinco mejores.

Modelo

Yo creo que habría que prohibir las reuniones después de las cinco de la tarde. Así la gente podría pasar más tiempo con su familia.

Cómo mejorar el clima laboral

1. _____

2. _____

3. _____

4. _____

5. _____

Nombre: ....   **Fecha:** ....

LA CIENCIA DEL SIGLO XXI

38 **¿Qué sabes?**

▶ **Marca** los avances científicos que se han producido a principios del siglo XXI.

☐ Se descubre la edad del universo.

☐ Se secuencia el genoma humano.

☐ Se encuentran los primeros fósiles de dinosaurios.

☐ Se encuentra a Ardi, un homínido que vivió hace 4,4 millones de años.

39 **¿Comprendes?**

▶ **Escucha** un fragmento de «La ciencia para curiosos». ¿Cuál es el tema que proponen?

☐ Los avances de la ciencia en las próximas décadas.

☐ Los grandes avances científicos del siglo XX.

☐ La nueva Revolución Industrial del siglo XXI.

▶ **Escucha** de nuevo y responde a las preguntas. Justifica tus respuestas.

1. ¿Es optimista Carlos Martínez acerca de los próximos avances científicos?

_____

2. ¿Cree Manuel Lozano Leyva que podemos predecir los próximos avances científicos?

_____

40 **Ahora tú**

▶ **Habla** con tus compañeros(as). ¿Qué avances científicos creen que se habrán producido a finales del siglo XXI?

Modelo

> Yo creo que a finales del siglo XXI ya habremos descubierto vida inteligente fuera de nuestro planeta.

JÓVENES EMPRENDEDORES

41 ¿Qué sabes?

▶ **Marca** y añade. ¿Qué se necesita para montar una empresa?

☐ Hay que ser valiente y asumir ciertos riesgos.

☐ Hay que pedir un préstamo al banco.

☐ Hay que trabajar duro y hacer sacrificios.

☐ Hay que hacer un estudio de mercado.

☐ _____

☐ _____

42 ¿Comprendes?

▶ **Escucha** una entrevista radiofónica a Leopoldo Abadía, un experto en economía. ¿Qué idea quiere transmitir esta persona con la historia de su abuelo?

_____

_____

▶ Indica si las afirmaciones son ciertas (C) o falsas (F).

1. Según el entrevistado, si hay crisis, es mejor no emprender negocios.	C	F
2. A principios del siglo XX, la situación económica en España no era buena.	C	F
3. El abuelo de Leopoldo Abadía fue empleado en un banco antes de tener su propio negocio.	C	F
4. El abuelo del entrevistado contó con la ayuda de su jefe para establecerse.	C	F
5. Cuando Leopoldo montó su empresa, estaba deseando que llegara el día 30 de cada mes.	C	F

▶ **Escucha** de nuevo y escribe. ¿Qué rasgos y actitudes caracterizan a un emprendedor según Leopoldo Abadía?

_____

_____

_____

43 Ahora tú

▶ **Habla** con tus compañeros(as). ¿Crees que son importantes los(as) emprendedores(as) para la economía de un país? ¿Eres una persona emprendedora? ¿Qué empresa te gustaría montar? Escribe tu idea de negocio.

_____

_____

_____

Nombre: ....   Fecha: ....

ORIENTACIÓN PROFESIONAL

44 **¿Qué sabes?**

▶ **Marca** y añade tus gustos, intereses, cualidades y habilidades.

Gustos e intereses

☐ Me interesan la ciencia y la investigación.

☐ Me gusta estar al aire libre.

☐ Me interesan los idiomas.

☐ Me gustan mucho los animales.

☐ Tengo interés en los temas relacionados con la salud.

☐ Me interesan mucho las nuevas tecnologías.

☐ Prefiero trabajar a solas.

☐ Quiero tener un buen sueldo.

☐ _____

Cualidades y habilidades

☐ Soy una persona muy observadora.

☐ Soy muy sensible a los problemas sociales.

☐ Tengo facilidad para atender y escuchar a los demás.

☐ Tengo mucha capacidad de trabajo.

☐ Tengo aptitudes para trabajar en equipo.

☐ Tengo mucha memoria visual y auditiva.

☐ _____

45 **Hablamos**

▶ **Habla** con tu compañero(a). Explícale tus cualidades, tus habilidades y tus intereses. Tu compañero(a) debe hacerte preguntas para sugerirte qué profesiones podrías tener en el futuro y cuáles no. ¿Estás de acuerdo con sus propuestas?

Modelo

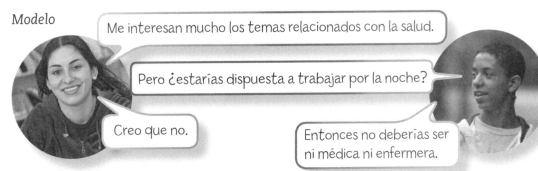

Me interesan mucho los temas relacionados con la salud.

Pero ¿estarías dispuesta a trabajar por la noche?

Creo que no.

Entonces no deberías ser ni médica ni enfermera.

CONSUMO COLABORATIVO

46 **¿Qué sabes?**

▶ **Lee** este blog y las notas informativas sobre consumo colaborativo. Explica. ¿Qué otras opciones de consumo colaborativo conoces?

> ### Consumo colaborativo: ¿Cuántas cosas poseemos?
>
> Por Clemente Álvarez | 09 de enero
>
> ¿Cuánta gente tiene en su casa una taladradora eléctrica para hacer agujeros en la pared? Según Rachel Botsman, coautora del libro *What's mine is yours: The rise of collaborative consumption*, por lo general un ciudadano corriente utiliza esta máquina unos 12-13 minutos en toda su vida. No es mucho. Si lo pensamos bien, nuestras casas están llenas de objetos que realmente vamos a usar muy poco. Frente a la acumulación de bienes en propiedad en las sociedades ricas, son cada vez más los que, como Botsman, defienden volver a un consumo colaborativo: por ejemplo, compartir la taladradora entre varios o cambiarla en Internet por algo diferente cuando dejemos de necesitarla. Este tipo de consumo colaborativo, que puede adoptar formas muy distintas, fue seleccionado por la revista *Time* en 2011 como una de las diez ideas que cambiarán el mundo.
>
> Fuente: blogs.elpais.com (texto adaptado)

> Consumir pero al mismo tiempo reducir, reusar, reciclar, reparar y redistribuir es el lema del consumo colaborativo.

> La movilidad compartida ofrece muchas posibilidades. Por ejemplo, *Gocarshare.com* facilita que la gente comparta vehículos para generar menos contaminación y ahorrar combustible.

> Las *Gratiferias* son mercadillos de calle en los que todo es gratis. El lema es «Trae lo que quieras (o no) y llévate lo que quieras (o no)».

_____

47 **Hablamos**

▶ **Habla** con tu compañero(a). ¿Qué piensan sobre esta forma de compartir los objetos y su uso? ¿Qué ventajas tiene esta forma de consumo? ¿Participarían en iniciativas de este tipo? ¿Qué ofrecerían y qué buscarían?

▶ **Representa** con tus compañeros(as) una cadena de consumo colaborativo.

Modelo

Yo ofrezco clases de baile. Puedo enseñar bailes latinos.

¡Me interesa! Me gustaría aprender a bailar salsa. Yo ofrezco una novela muy interesante que ya me he leído.

Nombre: .... **Fecha:** ....

«LA CANCIÓN DE LA TROVA»

1 **¿Qué sabes?**

▶ **Recuerda** lo que has aprendido sobre la trova y completa la ficha.

País de origen: ....

Instrumento principal: ....

Temas que trata: ....

2 **¿Comprendes?**

▶ **Escucha** «La canción de la trova» y marca. ¿Qué temas trata?

☐ el amor ☐ la pobreza ☐ la importancia de la vieja trova cubana

☐ la libertad ☐ el paso del tiempo ☐ el surgimiento de la nueva trova

▶ **Escucha** de nuevo la canción y completa estos versos.

La canción de la trova

Aunque las cosas cambien de color,

no importa pase _____.

Las cosas suelen transformarse

siempre, al caminar.

Pero tras la guitarra

    siempre habrá una voz

más vista o más perdida,

por la incomprensión de ser

uno que siente,

como en otro tiempo fue también.

Hay también _____

que hoy se sienten detenidos,

aunque sean otros tiempos hoy

y _____ será también.

Se sigue conversando con el mar.

Aunque las cosas cambien de color,

no importa pase _____.

No importa la palabra

    que se diga para amar.

Pues, siempre que se cante

    con el corazón,

habrá un sentido atento

    para la emoción de ver

que la guitarra es _____,

sin envejecer.

SILVIO RODRÍGUEZ (1946, Cuba).
Álbum: *Érase que se era*

3 **Ahora tú**

▶ **Escucha** de nuevo la canción y cántala con tus compañeros(as).

LOS SONIDOS S, Z, J

 4 **El sonido S**

▶ **Escucha** y repite las siguientes palabras.

1. visita	4. presente	7. división	10. prisión
2. náuseas	5. presidente	8. presentar	11. causa
3. proposición	6. representante	9. rosa	12. diversión

 5 **El sonido Z**

▶ **Escucha** y subraya la palabra que pronuncia un hablante del centro de España. Recuerda que el resto de hispanohablantes no pronuncia el sonido Z sino S.

1. casa – caza	4. cima – sima	7. cien – sien	10. poso – pozo
2. cierra – sierra	5. rosa – roza	8. hacia – Asia	11. sesión – cesión
3. as – haz	6. cocer – coser	9. masa – maza	12. taza – tasa

▶ **Lee** de nuevo en voz alta los pares de palabras.

 6 **El sonido J**

▶ **Escucha** y repite las siguientes palabras.

1. reloj	4. viaje	7. imagen	10. arveja
2. elige	5. México	8. abajo	11. garaje
3. enojo	6. manejo	9. consejo	12. caja

▶ **Lee** en voz alta estas oraciones a tu compañero(a) para que te corrija, si es necesario. Recuerda que la letra *h* no suena.

1. Hola, habitantes de La Habana.
2. Jamás dejaré México.
3. Los artesanos de Jalisco son muy hábiles.
4. A Juan le encantan las hamburguesas.

 7 **En verso**

▶ **Escucha** y repite estos versos.

He andado muchos caminos

He andado muchos caminos,
he abierto muchas veredas;
he navegado en cien mares,
y atracado en cien riberas.

Y en todas partes he visto
gentes que danzan o juegan,
cuando pueden, y laboran[1]
sus cuatro palmos[2] de tierra.

Nunca, si llegan a un sitio,
preguntan a dónde llegan.
Cuando caminan, cabalgan[3]
a lomos[4] de mula vieja,

y no conocen la prisa
ni aun en los días de fiesta.
Donde hay vino, beben vino;
donde no hay vino, agua fresca.

Son buenas gentes que viven,
laboran, pasan y sueñan,
y en un día como tantos,
descansan bajo la tierra.

ANTONIO MACHADO (1875-1939, España).
Soledades (selección)

1 *work*   3 *ride a horse*
2 *small quantity*   4 *back*

Nombre: _____   Fecha: _____

EL AJEDREZ

8 **¿Qué sabes?**

▶ **Indica** si las afirmaciones son ciertas (C) o falsas (F).

1. El ajedrez es un juego de táctica y estrategia.   C   F
2. El ajedrez se juega sobre un tablero.   C   F
3. Se necesitan dados para jugar al ajedrez.   C   F
4. Los caballos son piezas del ajedrez.   C   F

9 **¿Comprendes?**

▶ **Escucha** a Ricardo Cayuela hablar sobre el ajedrez y responde a las preguntas.

1. ¿Quién es Ricardo Cayuela?

_____

2. ¿Cuál es su pieza preferida? ¿Por qué?

_____

_____

3. ¿Qué opina Ricardo Cayuela sobre el juego del dominó?

_____

_____

4. ¿Para quién cree Ricardo Cayuela que es apropiado el ajedrez?

_____

_____

10 **Ahora tú**

▶ **Haz** hipótesis sobre el origen de la pieza llamada reina o dama. ¿Dónde se pudo originar? ¿En quién se pudo inspirar? Después, investiga y comprueba tus hipótesis.

_____

_____

_____

_____

¡VAMOS A DIVERTIRNOS!

11 ¿Qué sabes?

▶ **Marca** y añade los eventos a los que hayas asistido o te gustaría asistir.

- ☐ una obra de teatro
- ☐ un concierto
- ☐ un musical
- ☐ un espectáculo infantil
- ☐ una exposición
- ☐ un espectáculo de danza
- ☐ _____
- ☐ _____
- ☐ _____

12 ¿Comprendes?

▶ **Escucha** las recomendaciones de Myriam Limón para el fin de semana. Completa la ficha de cada evento.

Nombre/Título: ___Alejandro Filio._____

Tipo de evento: _____

Más información: _____

_____

Nombre/Título: _____

Tipo de evento: _____

Más información: _Promocionan su nuevo álbum *Boquita pintada.*_

_____

Nombre/Título: _____

Tipo de evento: _____

Más información: _Habla de las manías de los hombres y las_

_mujeres de hoy en día._____

Nombre/Título: _____

Tipo de evento: _Musical._____

Más información: _____

_____

13 Ahora tú

▶ **Habla** con tus compañeros(as). ¿A qué espectáculo de los anteriores te gustaría asistir? ¿Por qué?

Nombre: _____   **Fecha:** _____

OCIO Y TIEMPO LIBRE

14   **¿Qué sabes?**

▶ **Redacta** un cuestionario para conocer los hábitos relacionados con el ocio y el tiempo libre de tus compañeros(as). Utiliza las primeras preguntas como modelo.

Tus actividades de ocio

1. ¿Qué actividades sueles realizar durante tu tiempo libre?

    a. _Ver la televisión._   c. _____

    b. _Ir al cine._   d. _____

2. ¿Con qué frecuencia vas al cine?

    a. _A menudo._   c. _____

    b. _Rara vez._   d. _____

3. _____

    a. _____   c. _____

    b. _____   d. _____

4. _____

    a. _____   c. _____

    b. _____   d. _____

5. _____

    a. _____   c. _____

    b. _____   d. _____

---

15   **Hablamos**

▶ **Haz** la encuesta entre tus compañeros(as) de clase. Después, preséntales los resultados.

Modelo

¿Con qué frecuencia vas al cine: una vez a la semana, una vez al mes, más de dos veces al mes?

Suelo ir una vez al mes.

¿QUÉ PUEDE SER?

16 ¿Qué sabes?

▶ **Observa** las imágenes y escribe. ¿Qué pueden ser? Utiliza las expresiones del recuadro.

> Puede (ser) que…
> Posiblemente…
> Probablemente…
> Quizá(s)…
> Tal vez…
> A lo mejor…
> Debe de…
> Es posible que…
> Es probable que…
> Lo más probable es que…
> Seguro que…

_____

_____

_____   _____

17 Hablamos

▶ **Habla** con tus compañeros(as). Contrasten sus hipótesis. ¿Cuáles les parecen más probables?

Modelo

La primera imagen debe de ser el humo saliendo de la chimenea.

Quizás.

Nombre: ....   Fecha: ....

EL TREN DEL RECUERDO

18 ¿Qué sabes?

▶ **Marca** y añade. ¿Qué caracteriza a los trenes turísticos?

☐ Son muy rápidos.

☐ Suelen utilizar vagones antiguos.

☐ Recorren lugares históricos o de gran riqueza natural.

☐ Suelen funcionar los fines de semana y los días festivos.

☐ _____

19 ¿Comprendes?

▶ **Escucha** la descripción del Tren del Recuerdo de Chile. Indica si las afirmaciones son ciertas (C) o falsas (F). Luego, corrige las afirmaciones falsas.

1. El tren hace el recorrido entre Santiago y San Antonio.	C	F
2. Sale a las diez menos cuarto de la mañana.	C	F
3. Parte de la Estación Central.	C	F
4. En el viaje de ida no se sirven comidas.	C	F
5. En el tren hay personas vestidas con trajes antiguos.	C	F
6. Un guía turístico acompaña a los viajeros durante el recorrido.	C	F
7. Al llegar a San Antonio, los viajeros hacen excursiones.	C	F

_____

_____

_____

20 Ahora tú

▶ **Busca** información sobre otro tren turístico de América Latina o de España. Prepara una presentación para tus compañeros(as): horario, recorrido, atractivos, etc. Te damos algunas ideas.

– El Tren del Fin del Mundo (Argentina).

– El Buscarril de Talca a Constitución (Chile).

– El Tren Turístico de la Sabana (Colombia).

– El Tren de Cervantes (España).

– El Tren Hiram Bingham (Perú).

Tren del Fin del Mundo (Argentina).

VIAJAR EN AVIÓN

21 **¿Qué sabes?**

▶ **Responde** a estas preguntas. ¿Conoces tus derechos al viajar en avión?

	Sí	No
1. Si se cancela tu vuelo, ¿tienes derecho a que la compañía pague tu alimentación y alojamiento durante la espera?	☐	☐
2. Si se cancela tu vuelo, ¿tienes derecho a que te devuelvan el precio del boleto?	☐	☐
3. Si se cancela tu vuelo, ¿puedes pedir que te cambien el vuelo para otra fecha?	☐	☐
4. Si tu equipaje se pierde, ¿tienes derecho a una indemnización (*compensation*) económica?	☐	☐

22 **¿Comprendes?**

▶ **Escucha** un anuncio que te informa sobre tus opciones cuando viajas en avión. Luego, escribe un resumen con tus derechos como viajero(a).

Si se cancela mi vuelo, tengo derecho a _____

_____

_____

_____

_____

_____

_____

_____

_____

_____

_____

_____

_____

23 **Ahora tú**

▶ **Habla** con tus compañeros(as).

1. ¿Tú o alguien de tu familia ha tenido algún problema al viajar en avión?

2. ¿Qué tipo de problema?

3. ¿Cómo se resolvió?

Nombre: ....   **Fecha:** ....

LAS NORMAS DE CIRCULACIÓN

24 **¿Qué sabes?**

▶ **Observa** la imagen. Busca a tres personas que estén actuando bien y a tres que estén actuando mal.

25 **Hablamos**

▶ **Habla** con tus compañeros(as). Comparen sus resultados. ¿Qué conductas les parecen apropiadas? ¿Qué conductas les parecen peligrosas? ¿Por qué?

Modelo

La chica no debe circular en moto sin el casco.

Es cierto. Si tiene un accidente...

¿QUÉ HABRÁ PASADO?

26 **¿Qué sabes?**

▶ **Observa** las imágenes y escribe. ¿Qué les habrá pasado?

_____

_____

_____

_____

_____

_____

27 **Hablamos**

▶ **Habla** con tus compañeros(as). Contrasten sus hipótesis. ¿Cuáles les parecen más divertidas? Elijan las mejores hipótesis de la clase.

Modelo

Habrán recibido un mensaje muy gracioso, un chiste.

O una fotografía.

Nombre: ....   **Fecha:** ....

UN HOTEL DIFERENTE

28 **¿Qué sabes?**

▶ **Describe** lo que ves en la fotografía.
¿Qué crees que es?

_____

_____

_____

_____

_____

29 **¿Comprendes?**

▶ **Escucha** un breve reportaje sobre un tipo de hotel diferente y responde.

1. ¿De qué tipo de hotel trata el reportaje?

_____

2. ¿Dónde y cuándo se inauguró el primer hotel de este tipo?

_____

3. ¿Qué comodidades ofrecen algunos de estos hoteles?

_____

4. ¿Cómo se llama el hotel de este tipo que está en Tepoztlán, México?

_____

30 **Y tú, ¿qué opinas?**

▶ **Escribe.** ¿Te gustaría alojarte en un hotel de estas características? ¿Por qué?
Comparte tu opinión con tus compañeros(as).

_____

_____

_____

_____

EL PRONÓSTICO PARA HOY

31 **¿Qué sabes?**

▶ **Observa** el mapa de México. Subraya los estados que conoces o de los que has oído hablar.

32 **¿Comprendes?**

▶ **Escucha** el pronóstico del tiempo para un día de mayo en México y relaciona las columnas.

(A)	(B)
1. En el norte de México	a. hará mucho calor.
2. En el noreste del país	b. estará nuboso.
3. En el oeste	c. continuarán las lluvias.
4. En el centro del país	d. hará viento.
5. En el sureste de México	e. no lloverá.

▶ **Escucha** de nuevo el pronóstico del tiempo y responde a las preguntas.

1. ¿Qué tiempo hará en la Ciudad de México?

_____

_____

2. ¿Qué fenómeno meteorológico puede afectar a México? ¿Dónde se localiza?

_____

_____

33 **Ahora tú**

▶ **Escribe** el pronóstico del tiempo para mañana en tu ciudad. Después, cuéntaselo a tus compañeros(as). ¿Coinciden en sus pronósticos?

_____

_____

Nombre: _____   Fecha: _____

¿DÓNDE NOS QUEDAMOS?

34 **¿Qué sabes?**

▶ **Escribe** dos razones para hospedarse en cada uno de estos alojamientos.
Usa expresiones de causa diferentes.

EN UN ALBERGUE

Como soy joven, el albergue me parece
una buena opción para conocer gente.
_____
_____
_____

EN UN HOTEL DE LUJO

_____
_____
_____
_____
_____

TIPOS DE ALOJAMIENTO

EN UN CÁMPING

_____
_____
_____
_____
_____

EN _____

_____
_____
_____
_____
_____

35 **Hablamos**

▶ **Habla** con tus compañeros(as). Discutan las razones para elegir un alojamiento
u otro y elijan uno para quedarse el fin de semana. Usen distintas expresiones
de consecuencia.

Modelo

Somos un grupo grande, así es que podemos
buscar alojamiento en un albergue.

Yo creo que no tenemos mucho dinero; por
eso es mejor que vayamos a un cámping.

PROBLEMAS EN EL VIAJE

36 **¿Qué sabes?**

▶ **Observa** las imágenes y escribe. ¿Qué problemas tuvieron estas personas con el alojamiento o con el tiempo?

Sandra y Luis.

_____
_____
_____
_____
_____
_____

La familia Mora.

_____
_____
_____
_____
_____

Elvira y Antonio.

_____
_____
_____
_____
_____

37 **Hablamos**

▶ **Habla** con tus compañeros(as). Contrasten sus respuestas. Luego, cuéntales algún problema que hayan tenido tú, tus amigos o tu familia en un viaje. ¿Qué historia les parece mejor o más increíble?

Modelo

El verano pasado, mi familia y yo hicimos una reserva en un hotel con vistas al mar. Eso decía su página web, ¡pero el mar estaba a 30 kilómetros!

Nombre: _____   **Fecha:** _____

EL BALLET DE ALICIA ALONSO

38 **¿Qué sabes?**

▶ **Marca** y añade las palabras que relaciones con la danza y el *ballet*.

☐ bailarina   ☐ escuela   ☐ decorado

☐ coreografía   ☐ compañía   ☐ escenario

☐ música   ☐ vestuario (*costume*)   ☐ _____

39 **¿Comprendes?**

▶ **Escucha** a la gran bailarina cubana Alicia Alonso hablar sobre el *ballet* y responde.

1. ¿Qué fundó Alicia Alonso hace 60 años?

_____

_____

2. ¿Qué le gusta compartir a Alicia Alonso?

_____

_____

3. ¿Cree ella que para disfrutar de una función hay que saber de *ballet*? ¿Por qué?

_____

_____

4. ¿Qué artes se unen en el *ballet*?

_____

_____

5. Para Alicia Alonso, ¿qué puede conseguir el *ballet*?

_____

_____

40 **Y tú, ¿qué opinas?**

▶ **Habla** con tus compañeros(as). ¿Has visto alguna vez un espectáculo de *ballet*? ¿Te gustaría ver uno? ¿Crees que te emocionaría? Justifica tus respuestas.

ALGO MÁS QUE TURISMO CULTURAL

41 **¿Qué sabes?**

▶ **Responde** a las preguntas.

1. ¿Qué lugares o qué monumentos crees que son los más visitados en México?

_____

_____

2. ¿Qué civilizaciones antiguas habitaron el territorio actual de México?

_____

_____

42 **¿Comprendes?**

▶ **Escucha** una noticia radiofónica sobre un fin de semana especial en una ciudad mexicana. Indica si las afirmaciones son ciertas (C) o falsas (F).

1. El fin de semana del que habla la noticia se celebró un festival cultural muy importante en Mérida.   C   F
2. Debido a la fiesta, era fácil encontrar alojamiento.   C   F
3. El acontecimiento sirvió para la promoción turística de la ciudad.   C   F
4. Los turistas querían visitar algunos yacimientos arqueológicos aztecas.   C   F

▶ **Escucha** de nuevo y resume la noticia.

_____

_____

_____

_____

_____

_____

Chichén-Itzá, México.

43 **Ahora tú**

▶ **Escribe.** ¿Adónde viajarías si se anunciara la llegada del fin del mundo? ¿Por qué? Comparte tu respuesta con tus compañeros(as).

_____

_____

_____

_____

_____

Nombre: ....   **Fecha:** ....

CLIMAS EXTREMOS

44 **¿Qué sabes?**

▶ **Escribe.** ¿Qué tiempo crees que hace en estos sitios durante el mes de junio? Justifica tu respuesta.

Bosque de Monteverde, Costa Rica.

_____
_____
_____
_____

_____
_____
_____
_____

Monte Balmaceda, Chile.

Desierto de Altar, México.

_____
_____
_____
_____

45 **Hablamos**

▶ **Habla** con tus compañeros(as) y comparen sus hipótesis. Después, busquen información sobre el tema. ¿Quién se ha acercado más a la realidad?

Modelo

Yo creo que en el bosque de Monteverde lloverá mucho durante el mes de junio.

Sí, debe de llover muy a menudo en ese mes.

ENTRE LADRONES ANDA EL JUEGO

46 **¿Qué sabes?**

▶ **Lee** este fragmento de una noticia sobre un misterioso robo y las notas de un investigador privado sobre algunos(as) sospechosos(as). Luego, escribe algunas hipótesis sobre quién pudo robar el trofeo y cómo pudo hacerlo.

Desaparece el Trofeo del Campeonato Mundial de Ajedrez

Anoche, durante una fiesta en honor del Campeón del Mundo de Ajedrez celebrada en el lujoso Hotel Hispania, fue robado el Trofeo Mundial. Ni los cientos de asistentes al evento ni la policía que lo protegía vieron nada sospechoso.

Los sospechosos

✓ Sergio, el botones. Es un fan del ajedrecista que perdió la final.

✓ La directora del hotel. Busca publicidad para su hotel.

✓ Paula, la recepcionista. Necesita dinero.

✓ El finalista. Fue la última persona a quien se vio con el Trofeo.

✓ El inspector de policía. Siempre quiso jugar al ajedrez.

Mis sospechas

_____

_____

_____

_____

_____

47 **Hablamos**

▶ **Habla** con tus compañeros(as). Comparen sus hipótesis sobre el robo y elijan la que les parezca más verosímil o la que les guste más. Entre todos(as), reconstruyan el suceso. Usen expresiones de probabilidad, de causa y de consecuencia.

Modelo

Probablemente Paula se puso de acuerdo con otra persona para robar el Trofeo porque necesita dinero.

Sí, a lo mejor su cómplice fue Sergio...

Nombre: _____   Fecha: _____

UN CORRIDO MEXICANO

1 **¿Qué sabes?**

▶ **Escribe**. ¿Sabes qué son los corridos mexicanos? Explícalo.

_____

_____

_____

_____

2 **¿Comprendes?**

▶ **Escucha** un fragmento de un corrido sobre uno de los protagonistas de la Revolución Mexicana y elige la opción correcta.

1. El protagonista del corrido es _____.

   a. Emiliano Zapata   b. Pancho Villa   c. Francisco Madero

2. El corrido se centra en _____.

   a. su nacimiento   b. su boda   c. su muerte

3. El hecho ocurrió en el año _____.

   a. 1879 en Chinameca   b. 1919 en Chinameca   c. 1919 en Amecameca

4. El protagonista pasó a la historia como un defensor de _____.

   a. los pobres   b. los ricos   c. los esclavos

5. Pedía para ellos _____.

   a. alimento y libertad   b. tierra y libertad   c. tierra y educación

3 **Ahora tú**

▶ **Investiga** y responde. ¿Qué era el Plan de Ayala? ¿Qué pretendía?

_____

_____

_____

 ▶ **Escucha** de nuevo el corrido y cántalo con tus compañeros(as).

LOS SONIDOS L, R

4 El sonido L

 ▶ **Escucha** y repite las siguientes palabras.

1. hotel	4. calma	7. calcetines	10. salchicha
2. nacional	5. golpe	8. último	11. espalda
3. alta	6. fácil	9. albergue	12. alcanzar

5 El sonido R

▶ **Escucha** y escribe cada palabra en la columna correspondiente.
Después, repítelas en voz alta.

R FUERTE	R SUAVE

6 Distintos sonidos

▶ **Escucha** y subraya la palabra que escuches. Después, repite en voz alta los pares de palabras.

1. moto – moro	4. cara – cata	7. mora – moda
2. foro – foto	5. lodo – loro	8. mito – miro
3. todo – toro	6. coro – codo	9. dudo – duro

7 Grupos consonánticos con L y R

▶ **Lee** en voz alta estas oraciones a tu compañero(a) para que te corrija, si es necesario.

1. Pedro es una persona increíble; siempre es amable, agradable, hablador...

2. El buen clima de abril nos permitió viajar en bicicleta.

3. Francisca es muy reflexiva; le gustan los libros, tocar la flauta y cuidar sus flores.

4. Debido al calentamiento global, los glaciares se derriten y las junglas desaparecen. ¿Podremos arreglar esta situación tan grave?

5. El amplio teatro estaba completo y el público aplaudió mucho. A la actriz principal le van a dar un premio.

Nombre: ....   **Fecha:** ....

MAXIMILIANO I DE MÉXICO

8 **¿Qué sabes?**

▶ **Completa** el texto con las palabras del recuadro.

intereses	poder	presidente	invadir

Historia de México: Benito Juárez y Maximiliano I

Cuando Benito Juárez fue elegido _____, suspendió el pago de

_____ de la deuda extranjera. Molesto por esta medida, Napoleón III

de Francia decidió _____ México y en 1863 proclamó el Imperio

mexicano. Al frente de él puso a Maximiliano de Habsburgo, archiduque de

Austria, y a su esposa Carlota. En 1867 los franceses se retiraron y Benito Juárez

recuperó el _____. Maximiliano I fue fusilado en junio de 1867.

9 **¿Comprendes?**

▶ **Escucha** una historia sobre Maximiliano y responde.

1. ¿Cuándo apareció Justo Armas en El Salvador? ¿A qué se dedicaba?

_____

_____

2. ¿Qué rasgos y habilidades de Justo Armas llamaron la atención de los salvadoreños?

_____

Maximiliano I de México.

3. ¿Qué sorprendente costumbre tenía Justo Armas?

_____

4. ¿Qué detalle hace dudar de la relación entre Justo Armas y Maximiliano I?

_____

10 **Y tú, ¿qué opinas?**

▶ **Habla** con tus compañeros(as) y hagan hipótesis. ¿Por qué le podría haber perdonado la vida Benito Juárez a Maximiliano de Habsburgo?

MAXIMILIANO I Y BENITO JUÁREZ

11 **¿Qué sabes?**

▶ **Anota** las hipótesis que te parezcan más creíbles de las que han hablado. ¿Por qué le podría haber perdonado la vida Benito Juárez a Maximiliano de Habsburgo?

_____

_____

_____

_____

_____

Benito Juárez.

12 **¿Comprendes?**

▶ **Escucha** otro episodio de *Historias perdidas* e indica si las afirmaciones son ciertas (C) o falsas (F). Luego, corrige las afirmaciones falsas.

1. La muerte de Maximiliano era una advertencia para evitar futuras invasiones extranjeras.   C   F

2. Se dice que Benito Juárez y Maximiliano de Habsburgo eran masones.   C   F

3. La masonería permite el asesinato entre sus miembros.   C   F

4. Algunos historiadores dicen que Benito Juárez intentó sacar vivo a Maximiliano de México.   C   F

5. La madre de Maximiliano reconoció el cadáver (*corpse*) de su hijo.   C   F

_____

_____

_____

▶ **Lee** las palabras que se atribuyen a Benito Juárez para anunciar la muerte de Maximiliano I y responde. ¿Qué relación hay entre ellas y esta historia?

«El archiduque Fernando Maximiliano José de Austria fue hecho justo por las armas.»

_____

_____

_____

13 **Y tú, ¿qué opinas?**

▶ **Habla** con tus compañeros(as). ¿Qué te parece la historia de Justo Armas? ¿Quién crees que era? ¿Qué crees que le ocurrió en realidad a Maximiliano I?

Nombre: ....   **Fecha:** ....

EL MISTERIO DE LAS LÍNEAS DE NAZCA

14 **¿Qué sabes?**

▶ **Lee** el texto sobre las líneas de Nazca y observa las fotografías.
Responde. ¿Qué finalidad crees que tenían las líneas de Nazca?
¿Cómo pudieron hacerlas?

El misterio de Nazca

Las famosas líneas de Nazca son figuras
artísticas de enormes dimensiones que decoran
grandes extensiones de las pampas peruanas y
solo pueden ser apreciadas desde el aire. Fueron
realizadas entre los años 100 y 800 d. C.
por una cultura anterior al imperio inca: la
cultura llamada *nazca*. Estas líneas fueron
descubiertas en 1926, y son, todavía hoy, uno
de los grandes misterios de la humanidad.
Dadas sus dimensiones, se han dado todo tipo
de explicaciones, algunas tan extrañas como
que eran pistas de aterrizaje para aeronaves
extraterrestres.

_____

_____

15 **Hablamos**

▶ **Habla** con tus compañeros(as). Expón tus hipótesis
y defiéndelas utilizando las expresiones del recuadro.
¿Cuáles les parecen más verosímiles?

Modelo

Es evidente que los extraterrestres
nos las construyeron.

¿Y cómo lo sabes? No
está demostrado que...

> *Es evidente que…*
> *Estoy seguro(a) de que…*
> *Está claro que…*
> *Está demostrado que…*
> *Es improbable que…*
> *Es posible que…*
> *Es probable que…*
> *Es difícil creer que…*
> *Dudo (de) que…*
> *No es cierto que…*
> *No está claro que…*
> *No está demostrado que…*
> *No estoy seguro(a) de que…*

LA HISTORIA DE MÉXICO

16 ¿Qué sabes?

▶ **Elige** un acontecimiento de la historia de México. Te damos algunas ideas.
Investiga y rellena la ficha para preparar una presentación para tus compañeros(as).

Título: _____

Fecha: _____

Protagonistas: _____

_____

_____

_____

Hechos: _____

_____

_____

_____

_____

_____

_____

Consecuencias: _____

_____

_____

_____

– *La conquista de Tenochtitlán por Hernán Cortés*
– *El Grito de Dolores*
– *El Tratado de Córdoba*
– *La guerra mexicano-estadounidense*
– *La Revolución mexicana*
– *El asesinato de Emiliano Zapata*

17 Hablamos

▶ **Haz** una presentación a tus compañeros(as) sobre el acontecimiento que has
elegido. Ellos(as) pueden hacerte preguntas para aclarar sus dudas.

Modelo

El general Porfirio Díaz estableció en México una dictadura.

¿Y cómo llegó al poder?

Nombre: _____   **Fecha:** _____

«TE RECUERDO, AMANDA»

18 **¿Qué sabes?**

▶ **Lee** un fragmento de la biografía del cantautor chileno Víctor Jara y complétalo con las palabras del recuadro.

detenido   homenaje   ejército   oposición

Víctor Jara

El 11 de septiembre de 1973, Víctor Jara se dirigió a la Universidad Técnica del

Estado, en Santiago de Chile. Quería protestar y mostrar su _____

al golpe de Estado contra el Gobierno del presidente Salvador Allende.

Tras ser tomado el centro universitario por el _____, Víctor Jara

fue _____ y conducido al Estadio Nacional. Allí fue asesinado

el 16 de septiembre de 1973. En 2004 el estadio fue rebautizado como Estadio

Víctor Jara en _____ al cantautor.

19 **¿Comprendes?**

▶ **Escucha** la canción «Te recuerdo, Amanda», una de las más conocidas del cantautor chileno. Elige el mejor resumen de su argumento.

☐ La canción cuenta la historia de dos luchadores por la libertad y los derechos civiles en Chile. Ambos mueren víctimas de la represión.

☐ La canción narra la historia de amor de una pareja de obreros: la muchacha corre a ver a su amado durante el descanso en el trabajo y él muere en la sierra.

☐ La canción cuenta la historia de un obrero que muere en una manifestación a favor de los derechos de los trabajadores. Su esposa, Amanda, llora al recordarlo.

▶ **Responde.** ¿Con qué propósito crees que fue Manuel a la sierra?

_____

_____

20 **Ahora tú**

▶ **Escucha** de nuevo la canción y cántala con tus compañeros(as).

LA TRANSICIÓN ESPAÑOLA

21 **¿Qué sabes?**

▶ **Empareja** cada personaje histórico español con su biografía. ¿Los conoces?

Francisco Franco.

Adolfo Suárez.

Juan Carlos I.

_____ 1. Político llamado por el rey Juan Carlos I para presidir el segundo Gobierno de la monarquía (1976). Se convirtió en el motor de la transición política de la dictadura de Franco al régimen democrático.

_____ 2. Rey de España. Fue proclamado rey en 1975 a la muerte de Franco y contribuyó de forma decisiva a la transformación de España en un país democrático.

_____ 3. Militar y político. Encabezó en 1936 el golpe militar contra la República que desencadenó la Guerra Civil en España. Tras su victoria en 1939, instauró un régimen dictatorial que perduró hasta su muerte en 1975.

22 **¿Comprendes?**

▶ **Escucha** una lección de Historia sobre la transición democrática en España. Indica si las afirmaciones son ciertas (C) o falsas (F).

1. La transición española es un modelo de reconciliación nacional.   C   F
2. Este período va desde la muerte del general Franco (1975) hasta la aprobación de la nueva Constitución (1978).   C   F
3. El rey don Juan Carlos siempre quiso establecer una democracia.   C   F
4. El nombramiento de Adolfo Suárez como presidente fue bien recibido.   C   F
5. La Ley para la Reforma Política legalizó los partidos políticos.   C   F
6. En las elecciones de 1977 ningún partido político alcanzó la mayoría absoluta.   C   F

23 **Ahora tú**

▶ **Investiga** y escribe. ¿Qué pasó el 23 de febrero de 1981 en España?

_____

_____

_____

Nombre: ....   **Fecha:** ....

¿MONARQUÍA O REPÚBLICA?

24 **¿Qué sabes?**

▶ **Investiga** y escribe. ¿Qué es una monarquía parlamentaria? ¿Qué es una república? Busca argumentos a favor y en contra de ambos sistemas políticos.

MONARQUÍA PARLAMENTARIA
Definición: _____ _____
Argumentos a favor: _____ _____ _____
Argumentos en contra: _____ _____ _____

REPÚBLICA
Definición: _____ _____
Argumentos a favor: _____ _____ _____
Argumentos en contra: _____ _____ _____

25 **Hablamos**

▶ **Debate** con tus compañeros(as). Elige uno de los sistemas políticos anteriores y defiéndelo ante tus compañeros(as), que intentarán rebatir tus argumentos.

Modelo

He leído que mantener una monarquía parlamentaria es más barato que una república.

ARTE Y COMPROMISO

26 **¿Qué sabes?**

▶ **Piensa.** ¿Qué artistas conoces que con su obra denuncien problemas sociales y políticos? ¿Cuál es su estilo? ¿Qué temas tratan? Elige uno(a) de ellos(as) y rellena la ficha.

Artista: _____

Disciplina (música, pintura, escultura, etc.): _____

Temas de sus obras: _____

_____

_____

_____

Obras más conocidas: _____

_____

_____

_____

_____

¿Te gusta? ¿Por qué? _____

_____

_____

_____

_____

_____

Lila Downs.

27 **Hablamos**

▶ **Habla** con tus compañeros(as). ¿Crees que este tipo de arte contribuye a cambiar la sociedad? Justifica tu respuesta.

Modelo

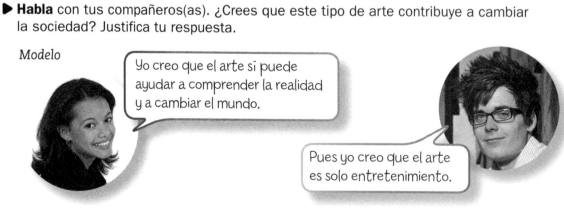

Yo creo que el arte sí puede ayudar a comprender la realidad y a cambiar el mundo.

Pues yo creo que el arte es solo entretenimiento.

Nombre: ....   Fecha: ....

¿PAPEL O PLÁSTICO?

28 ¿Qué sabes?

▶ **Marca** y escribe. ¿Qué bolsas sueles utilizar con más frecuencia para hacer la compra? ¿Por qué?

☐ bolsa de plástico   ☐ bolsa degradable   ☐ bolsa de papel   ☐ bolsa de mandado

....

....

29 ¿Comprendes?

▶ **Escucha** una entrevista radiofónica y responde a las preguntas.

1. ¿Quién es Estrella Burgos?

....

2. ¿«¿Papel o plástico?» es una pregunta de fácil respuesta? ¿Por qué?

....

3. ¿Qué argumentos nombran en contra del papel?

....

4. ¿Qué argumento nombran en contra del plástico?

....

5. ¿Cuál es la conclusión del autor del artículo? ¿Es mejor el papel o el plástico?

....

6. ¿Cuál es la ventaja de usar una bolsa de mandado?

....

30 Y tú, ¿qué opinas?

▶ **Habla** con tus compañeros(as). ¿Papel o plástico? Justifica tu respuesta.

LOS *NINIS*

31 **¿Qué sabes?**

▶ **Completa.** En algunos países hispanos se denomina *ninis* a los(as) jóvenes que ni estudian ni trabajan. ¿Cuáles crees que pueden ser las causas de este fenómeno?

32 **¿Comprendes?**

▶ **Escucha** una noticia sobre un informe de la OCDE (Organización para la Cooperación y el Desarrollo Económico). Indica si las afirmaciones son ciertas (C) o falsas (F). Corrige las falsas.

1. España es el país de Europa con menos *ninis*.   C   F
2. En España esta situación se debe, sobre todo, al desempleo.   C   F
3. En cambio, en México, este problema está muy relacionado con el género.   C   F
4. Una de las soluciones es que los jóvenes vuelvan a estudiar.   C   F
5. En España el desempleo entre los jóvenes con estudios universitarios es muy bajo.   C   F
6. La subida de las tasas (*fees*) universitarias podría dificultar a los jóvenes el acceso a la universidad.   C   F

33 **Ahora tú**

▶ **Investiga** sobre los(as) jóvenes (entre 15 y 29 años) y el empleo en un país de Latinoamérica. Describe la situación, sus causas, las consecuencias y las posibles soluciones.

▶ **Habla** con tus compañeros(as). Comparen la situación de los(as) jóvenes latinoamericanos(as) con la de su país. ¿Qué similitudes hay? ¿Qué diferencias?

Nombre: ....   **Fecha:** ....

LOS PROBLEMAS DEL MUNDO

34 **¿Qué sabes?**

▶ **Escribe**. ¿Cuál es, a tu juicio, el principal problema que existe actualmente en el mundo? ¿Qué soluciones propones?

_____

_____

_____

_____

_____

_____

_____

_____

_____

_____

_____

_____

_____

_____

_____

_____

_____

35 **Hablamos**

▶ **Habla** con tus compañeros(as). Exponles tu opinión y justifica tus respuestas.

Modelo

Yo creo que la pobreza es el principal problema del mundo y es el origen de muchos otros conflictos.

Estoy completamente de acuerdo contigo.

LOS PUEBLOS INDÍGENAS

36 **¿Qué sabes?**

▶ **Elige** uno de los pueblos indígenas de Latinoamérica. Te damos algunas ideas.
Investiga y rellena la ficha para preparar una presentación para tus compañeros(as).

Pueblo: _____

Lengua: _____

Territorio: _____

_____

_____

Población actual: _____

Costumbres: _____

_____

_____

_____

_____

_____

_____

Problemas: _____

_____

_____

_____

_____

– Mapuche
– Quechua
– Aimara
– Nahualt
– Zapoteco
– Mixteco
– Otomí

37 **Hablamos**

▶ **Haz** una presentación a tus compañeros(as) sobre el pueblo indígena que has elegido.
Ellos(as) pueden hacerte preguntas para aclarar sus dudas.

Modelo

Los guaraníes viven en Bolivia,
Argentina y Paraguay.

¿Su lengua es el guaraní?

Nombre: _____   **Fecha:** _____

EL DORADO

38   ¿Qué sabes?

▶ **Observa** la fotografía y escribe. ¿Qué recuerdas de la leyenda de El Dorado?

_____

_____

_____

_____

39   ¿Comprendes?

▶ **Escucha** un programa de radio sobre algunas de las expediciones que buscaron El Dorado y responde a las preguntas.

1. ¿Quiénes fueron Sebastián de Benalcázar y Gonzalo Jiménez de Quesada?

_____

2. ¿Hasta dónde llegó el capitán Sebastián de Benalcázar? ¿Qué encontró?

_____

3. ¿Qué pensó Gonzalo Jiménez de Quesada al conocer a los muiscas? ¿Por qué?

_____

4. ¿Qué encontró Gonzalo Jiménez de Quesada al adentrarse en la selva?

_____

5. ¿Qué hicieron los hombres de Gonzalo Jiménez de Quesada en la laguna de Guatavita?

_____

40   Ahora tú

▶ **Investiga** y escribe. ¿Qué otras expediciones buscaron El Dorado desde el siglo XVI? ¿Qué encontraron?

_____

_____

_____

«JÓVENES Y MEMORIA»

41 **¿Qué sabes?**

▶ **Completa** el texto con las palabras del recuadro.

derechos	dictadura	sociales	historia	compromiso	democráticas

¿Qué es «Jóvenes y Memoria»?

En el año 2002 la Comisión Provincial por la Memoria (Provincia de Buenos Aires, Argentina) creó el programa «Jóvenes y Memoria, recordamos para el futuro» para promover el tratamiento de la última _____ militar argentina en las escuelas secundarias de Buenos Aires. Este programa se propone, por un lado, renovar la forma de enseñar y aprender ciencias sociales. Por otro, afianzar los valores en _____ humanos, las prácticas _____ y el _____ cívico crítico de las nuevas generaciones. La propuesta es que sean los adolescentes quienes investiguen y «cuenten» la _____. Progresivamente la temática de los trabajos se ha ido ampliando de la dictadura a otros problemas _____.

Fuente: www.comisionporlamemoria.org (texto adaptado)

42 **¿Comprendes?**

▶ **Escucha** al artista argentino y defensor de los derechos humanos Adolfo Pérez Esquivel (Premio Nobel de la Paz 1980) hablar sobre el programa «Jóvenes y Memoria». Indica si las afirmaciones son ciertas (C) o falsas (F). Corrige las falsas.

1. Adolfo Pérez Esquivel no está muy contento con la calidad de los trabajos presentados.   C   F

2. Entre los temas de los trabajos presentados están las drogas, la marginalidad y los problemas de los pueblos indígenas.   C   F

3. Para presentar los trabajos los chicos también utilizaron la música y el teatro.   C   F

4. Uno de los trabajos que más le gustó a Adolfo Pérez Esquivel era sobre un chico desaparecido durante la dictadura.   C   F

43 **Y tú, ¿qué opinas?**

▶ **Habla** con tus compañeros(as). ¿Qué opinas sobre el programa? ¿Te parece útil? ¿Qué crees que les puede aportar a los(as) jóvenes? ¿Te gustaría participar en él? ¿Sobre qué temas te gustaría investigar? Justifica tus respuestas.

Nombre: .... **Fecha:** ....

LOS DERECHOS DE LOS PUEBLOS INDÍGENAS

44 ¿Qué sabes?

▶ **Lee** estos artículos de la *Declaración de las Naciones Unidas sobre los derechos de los pueblos indígenas*. Escribe. ¿Qué hecho o momento histórico conoces en el que esos derechos no hayan sido respetados?

Artículo 2

Los pueblos y los individuos indígenas son libres e iguales a todos los demás pueblos y personas y tienen derecho a no ser objeto de ningún tipo de discriminación en el ejercicio de sus derechos, en particular la fundada en su origen o identidad indígenas.

Artículo 26

Los pueblos indígenas tienen derecho a las tierras, territorios y recursos que tradicionalmente han poseído, ocupado, utilizado o adquirido.

Artículo 29

Los pueblos indígenas tienen derecho a la conservación y protección del medio ambiente y de la capacidad productiva de sus tierras o territorios y recursos. Los Estados deberán establecer y ejecutar programas de asistencia a los pueblos indígenas para asegurar esa conservación y protección, sin discriminación.

Declaración de las Naciones Unidas sobre los derechos de los pueblos indígenas (2007)

45 Hablamos

▶ **Haz** una presentación a tus compañeros(as) sobre el hecho o momento histórico que has elegido. ¿Están de acuerdo contigo? ¿Por qué?

Modelo

Cuando los españoles llegaron a las Américas no respetaron los derechos de los indígenas: se apropiaron de sus tierras, de sus riquezas...

Estoy de acuerdo contigo.

PREGUNTAS Y RESPUESTAS

46 **¿Qué sabes?**

▶ **Repasa** lo que has aprendido. Elabora tres fichas como la del modelo: una pregunta y tres posibles respuestas sobre los temas vistos en la unidad.

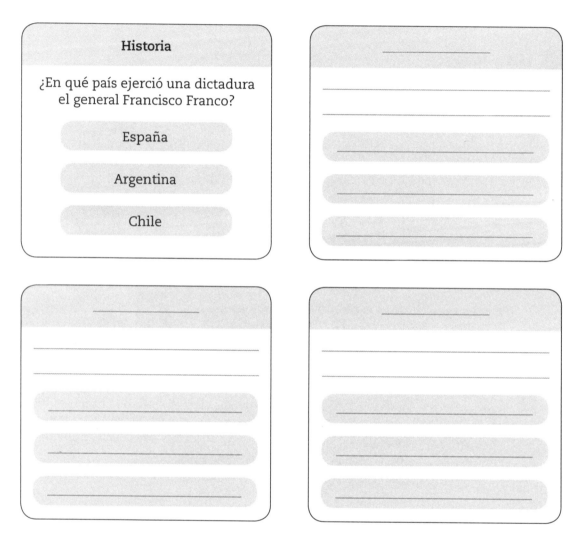

Historia

¿En qué país ejerció una dictadura el general Francisco Franco?

España

Argentina

Chile

47 **Hablamos**

▶ **Juega** con tus compañeros(as). Háganse las preguntas por turnos. Gana la persona que más respuestas acierte.

Modelo

¿En qué país ejerció una dictadura el general Francisco Franco? ¿En España, en Argentina o en Chile?

En España.

Español Santillana. Speaking and Listening Workbook. Unidad 5

Nombre: ....   **Fecha:** ....

EL «BOOM» LATINOAMERICANO

1 **¿Qué sabes?**

▶ **Responde.** ¿Qué es el «boom» de la novela latinoamericana? ¿Qué escritores de esa generación conoces?

....

....

....

....

2 **¿Comprendes?**

▶ **Escucha** al experto Carlos Granés hablar sobre el «boom» latinoamericano. Indica si las afirmaciones son ciertas (C) o falsas (F). Luego, corrige las falsas.

1. *Cien años de soledad,* de Gabriel García Márquez, fue la primera novela del «boom» publicada. C F

2. *Cien años de soledad* supuso la consolidación del «boom» y su definitiva proyección internacional. C F

3. *Cien años de soledad* gozó, desde su publicación, del favor internacional de crítica y público. C F

4. Los escritores del «boom» emplean unas técnicas narrativas heredadas, sobre todo, de los escritores hispanos precedentes. C F

....

....

....

....

▶ **Responde.** ¿A qué se debe la universalidad de la literatura del «boom»?

....

....

....

3 **Y tú, ¿qué opinas?**

▶ **Habla** con tus compañeros(as). ¿Qué otras novelas conoces que hayan sido un éxito mundial de crítica y público? ¿A qué crees que se debe ese éxito?

LA ENTONACIÓN

4 Las pausas

▶ **Escucha** estas oraciones y repítelas. Presta atención a las pausas en la entonación.

1. A mal tiempo, buena cara.

2. Mario es una persona seria, reflexiva, responsable.

3. ¡Siéntate, por favor!

4. Marcela es muy simpática, ¿no crees?

5. No, no quiero más, gracias.

6. A Juana le gustan las manzanas y a Carolina, las peras.

7. Si tú me lo pides…

8. ¿Qué prefieres, dar un paseo o ir al cine?

5 La vida es puro teatro

▶ **Lean** y representen en parejas una escena de la obra humorística *Tánger*, del dramaturgo español Joaquín Calvo Sotelo. Presten atención a la entonación.

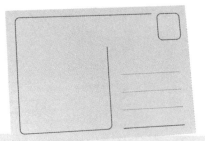

DON JESÚS. (*Sorprendido.*) ¡Caramba, qué prontitud! ¿Usted estaba avisado?

CAMARERO. ¿De qué?

DON JESÚS. De que iba a llamar.

CAMARERO. No, señor.

DON JESÚS. Pues entonces no he visto un hotel mejor servido que este.

CAMARERO. Lo que no ha visto el señor es un hotel más vacío.

DON JESÚS. Ah, ya.

CAMARERO. Si estuviéramos en agosto, usted podría llamar diez minutos al timbre sin resultado.

DON JESÚS. Pues hoy andaba gente por aquí.

CAMARERO. Sí, es que hay una boda y el hotel ha organizado la merienda.

DON JESÚS. Bien, bien.

CAMARERO. ¿El señor me llamaba para…?

DON JESÚS. ¿Tienen postales de la ciudad?

CAMARERO. ¿No le gustan las que le traje antes?

DON JESÚS. Sí, pero las quería impresas.

CAMARERO. ¿Cómo impresas?

DON JESÚS. Sí, con su texto y todo.

CAMARERO. Pues… la verdad…

DON JESÚS. Mire usted. (*Le enseña una.*) Esta fotografía de la playa me parece muy bien. Lo que yo le preguntaba es si no tienen postales que traigan escrito ya en el dorso lo que se pone siempre en ellas.

CAMARERO. Ah, ya…

DON JESÚS. Que ya sabe usted qué es lo que se pone.

CAMARERO. Sí, sí.

DON JESÚS. «Desde esta ciudad maravillosa te envía un fuerte abrazo tu siempre amigo…» ¿Eh?

CAMARERO. Claro, claro…

DON JESÚS. ¿Y qué? ¿Hay o no hay?

CAMARERO. Pues mire usted, la verdad, no…

DON JESÚS. ¡Qué contratiempo!

CAMARERO. Pero lo que puedo hacer, si a usted le interesa, es escribírselas yo y usted las firma.

DON JESÚS. Ah, muy bien.

CAMARERO. Pues deme usted las que quiera y yo…

DON JESÚS. Veintidós.

CAMARERO. Perfecto.

JOAQUÍN CALVO SOTELO (1905-1993, España).
Tánger (selección)

Nombre: ....   **Fecha:** ....

JOSÉ CLEMENTE OROZCO

6 **¿Qué sabes?**

▶ **Escribe.** ¿Quién es José Clemente Orozco, el autor de esta obra? ¿A qué movimiento artístico pertenece? ¿En qué siglo desarrolló su obra?

_____

_____

_____

_____

El hombre de fuego (Hospicio Cabañas, Guadalajara, México), de José Clemente Orozco.

7 **¿Comprendes?**

▶ **Escucha** una recomendación radiofónica sobre José Clemente Orozco. Indica si las afirmaciones son ciertas (C) o falsas (F).

1. José Clemente Orozco es uno de los muralistas mexicanos   C   F
   más originales y brillantes.

2. La exposición del Colegio de San Ildefonso no es tan completa como   C   F
   otras exhibiciones anteriores de Orozco.

3. La obra de Orozco siempre interesó a los críticos más que la de Diego   C   F
   Rivera o la de David Alfaro Siqueiros.

4. La obra de Orozco es más complicada y amplia de lo que la gente cree.   C   F

▶ **Escucha** de nuevo la recomendación y completa el resumen.

La obra de José Clemente Orozco se caracteriza por _____

_____

_____

En la exposición se incluyen _____

_____

8 **Y tú, ¿qué opinas?**

▶ **Busca** imágenes de otras obras de José Clemente Orozco y habla con tus compañeros(as) sobre ellas. ¿Qué impresión te produce su pintura? Descríbela.

GRANDES OBRAS PARA VER... Y ESCUCHAR

9 **¿Qué sabes?**

▶ **Observa** la fotografía y responde a las preguntas.

1. ¿Con qué nombre se conoce esta obra?

   _____

2. ¿Quién la pintó?

   _____

3. ¿De dónde era el pintor?

   _____

10 **¿Comprendes?**

▶ **Escucha** la audioguía de esta obra, observa el cuadro y responde a las preguntas.

1. ¿Cómo se titulaba antiguamente la obra?

   _____

2. ¿Por qué se conoce popularmente como *Las meninas*?

   _____

3. ¿Qué ocurre en la escena? ¿Qué están haciendo la infanta Margarita y los reyes?

   _____

   _____

4. ¿Por qué impresiona el cuadro?

   _____

   _____

▶ **Escucha** de nuevo la audioguía y relaciona las columnas.

Ⓐ	Ⓑ
1. Felipe IV y Mariana	a. le está dando con el pie al perro.
2. María Agustina Sarmiento	b. está de rodillas junto a la infanta Margarita.
4. María Bárbola	c. es compañero de Velázquez en la corte.
5. Nicolasito Pertusato	d. se reflejan en el espejo del fondo.
6. José Nieto	f. está junto al joven bufón.

11 **Y tú, ¿qué opinas?**

▶ **Observa** con detalle el cuadro en la página web del Museo del Prado.
¿Qué te impresiona más? Habla con tus compañeros(as) sobre él.

Nombre: ....   **Fecha:** ....

ESTILOS DEL ARTE

12 **¿Qué sabes?**

▶ **Elige** una de estas pinturas y analízala.

Nuestra Señora de Fátima,
de Fernando Botero.

Coronación de la Virgen,
de Diego Velázquez.

Virgen de Guadalupe,
de Salvador Dalí.

_____

_____

_____

_____

_____

13 **Hablamos**

▶ **Expón** tu análisis a tus compañeros(as). Luego, habla con ellos(as)
y comparen las pinturas. ¿Cuál les gusta más?

Modelo

La pintura de Velázquez me
parece la más bella y delicada.

Yo creo que la pintura
de Botero...

EL CUADRO QUE MÁS TE GUSTA

14 **¿Qué sabes?**

▶ **Busca** la fotografía de un cuadro de un pintor hispano que te guste mucho.
Luego, describe la pintura. Utiliza algunas de las palabras del recuadro.

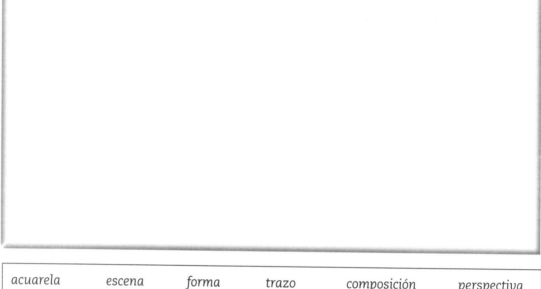

acuarela	escena	forma	trazo	composición	perspectiva
color	espacio	lienzo	óleo	movimiento	pincelada
detalles	figura	línea	técnica	paisaje	proporción

_____

_____

_____

_____

_____

_____

15 **Hablamos**

▶ **Habla** y juega con tus compañeros(as). Explícales por qué has elegido este cuadro
y descríbelo sin mostrarlo ni dar pistas sobre su autor(a) o su título. ¿Saben tus
compañeros(as) qué cuadro es?

Modelo

Se trata del autorretrato de una mujer.
Aparecen también algunos animales.

¿Es el *Autorretrato con chango
y loro*, de Frida Kahlo?

Nombre: _____   **Fecha:** _____

LA ARQUITECTURA SUSTENTABLE

16 **¿Qué sabes?**

▶ **Escribe.** ¿Qué es para ti la arquitectura sustentable? ¿Cuáles son las características de una construcción sustentable?

_____

_____

_____

_____

_____

17 **¿Comprendes?**

▶ **Escucha** al arquitecto Alejandro Rivadeneyra hablar sobre lo que para él es la arquitectura sustentable. Indica si las afirmaciones son ciertas (C) o falsas (F).

1. Últimamente se está abusando del término «arquitectura sustentable».   C   F
2. La buena arquitectura siempre ha sido sustentable.   C   F
3. La sustentabilidad tiene que ver con el uso de las nuevas tecnologías.   C   F
4. Para hacer arquitectura sustentable no es imprescindible estudiar la comunidad en la que se va a construir.   C   F
5. En la arquitectura sustentable es importante el sentido común y ser sensible a los lugares.   C   F

▶ **Escucha** de nuevo al arquitecto Alejandro Rivadeneyra y completa las características técnicas de la arquitectura sustentable que nombra.

1. _____

2. Protección de asoleamiento (*sunlight*).

3. Aislamiento térmico.

4. _____

5. _____

18 **Ahora tú**

▶ **Habla** con tus compañeros(as). ¿Es tu casa una construcción sustentable? ¿Y tu escuela? Justifica tus respuestas.

RICARDO LEGORRETA

19 **¿Qué sabes?**

▶ **Observa** la fotografía. La construcción es una obra del arquitecto mexicano Ricardo Legorreta. Descríbela.

_____

_____

_____

_____

_____

_____

_____

Museo del Papalote (México D. F.), de Ricardo Legorreta.

20 **¿Comprendes?**

▶ **Escucha** un fragmento de una entrevista con Ricardo Legorreta y responde a las preguntas.

1. ¿Cuál es, para Ricardo Legorreta, el propósito de la arquitectura?

_____

_____

2. ¿Qué le han enseñado los mexicanos a Ricardo Legorreta?

_____

_____

▶ **Escucha** de nuevo y resume con tus palabras la anécdota que cuenta Ricardo Legorreta sobre su visita a un pueblo mexicano.

_____

_____

_____

_____

_____

_____

21 **Ahora tú**

▶ **Observa** de nuevo la fotografía y comenta con tus compañeros(as). ¿Qué características de las que habla en la entrevista Ricardo Legorreta se reflejan en esta construcción suya?

Nombre: ....   **Fecha:** ....

ARQUITECTURA Y SOCIEDAD

22 **¿Qué sabes?**

▶ **Lee** las siguientes afirmaciones de diversos arquitectos y marca.
¿Qué te parecen? ¿Estás de acuerdo con ellas?

1. «La arquitectura debe ser hermosa aunque no funcione. Capaz de conmover, aunque tenga goteras (leaks).»

   FRANCISCO JAVIER SÁENZ DE OIZA (1918-2000, España)

2. «[La arquitectura] No es un oficio para hacernos monumentos a nosotros mismos, o a políticos, o a promotores. Es para la sociedad. Es decir, nuestro deber es hacer felices a las gentes que usen nuestros edificios.»

   RICARDO LEGORRETA (1931-2011, México)

3. «Antes, la ciudad tradicional era un lugar de encuentro, donde concurrían las gentes y coincidían físicamente. Ahora, las formas de vida nueva permiten otro tipo de comunicación. Y las gentes se encuentran no tanto por azar, sino por acuerdo previo. Pero a esto yo no lo calificaría de relación inhumana.»

   RAFAEL MONEO (1937, España)

4. «El siglo XXI será un tiempo de reconciliación con la ciudad, en el que a fuerza de mejorar los transportes urbanos y la infraestructura, las ciudades volverán a renacer como sitios en los que será agradable vivir.»

   SANTIAGO CALATRAVA (1951, España)

5. «Pienso que el espacio ideal debe contener en sí elementos de magia, serenidad, embrujo y misterio. Creo que estos pueden inspirar la mente de los hombres.»

   LUIS BARRAGÁN (1902-1988, México)

Estoy...	1	2	3	4	5
de acuerdo.	☐	☐	☐	☐	☐
de acuerdo en parte.	☐	☐	☐	☐	☐
en desacuerdo.	☐	☐	☐	☐	☐
muy en desacuerdo.	☐	☐	☐	☐	☐

23 **Hablamos**

▶ **Debate** con tus compañeros(as) sobre las afirmaciones anteriores.
Expón tu opinión, justifícala y responde a sus argumentos.

Modelo

> Estoy muy en desacuerdo con la afirmación del arquitecto Sáenz de Oiza. En mi opinión, la arquitectura tiene la obligación de funcionar.

LOS RASCACIELOS

24 **¿Qué sabes?**

▶ **Investiga** y escribe. Busca argumentos a favor y en contra de la construcción de rascacielos en las ciudades.

Torres Petronas (Kuala Lumpur, Malasia), de César Pelli.

ARGUMENTOS A FAVOR

ARGUMENTOS EN CONTRA

25 **Hablamos**

▶ **Debate** con tus compañeros(as). ¿Estás a favor o en contra de este tipo de construcciones? Expón tu opinión y defiéndela.

Modelo

Estoy a favor de la construcción de rascacielos en el centro de las grandes ciudades. Me parece que solucionan el problema de la falta de suelo.

Nombre: .... **Fecha:** ....

EL QUIJOTE

26 **¿Qué sabes?**

▶ **Resume** con tus palabras el argumento de la novela
El ingenioso hidalgo don Quijote de la Mancha,
de Miguel de Cervantes.

_____

_____

_____

27 **¿Comprendes?**

▶ **Escucha** al experto Francisco Rico hablar sobre la novela. Responde a las preguntas.

1. ¿Cómo resume Francisco Rico el argumento de El Quijote?

_____

_____

2. ¿Cuál es el título que Cervantes puso en principio a su obra?

_____

3. ¿Cómo fue acogida (*received*) la obra cuando se publicó?

_____

4. ¿Qué era lo que más apreciaban de la obra los lectores del siglo XVII?

_____

_____

5. ¿A qué atribuye Francisco Rico el éxito de la novela a lo largo del tiempo?

_____

_____

28 **Ahora tú**

▶ **Busca** y lee el primer capítulo de *El ingenioso hidalgo don Quijote de la Mancha*.
¿Te apetece seguir leyendo la novela? Justifica tu respuesta.

_____

_____

ELOGIO DE LA LECTURA Y LA FICCIÓN

29 **¿Qué sabes?**

▶ **Piensa** y responde. ¿Cómo serías sin los libros que has leído?

> *Sin los buenos libros que he leído sería menos* _____
>
> *y sería más* _____

30 **¿Comprendes?**

▶ **Escucha** un fragmento del discurso que el escritor peruano Mario Vargas Llosa pronunció al recibir el Premio Nobel de Literatura en 2010. Indica si las afirmaciones son ciertas (C) o falsas (F). Corrige las falsas.

Para Mario Vargas Llosa...

1. Sin los libros no existiría el espíritu crítico que hace avanzar el mundo.	C	F
2. Inventamos las ficciones para poder vivir otras vidas.	C	F
3. La literatura solo sirve para evadirnos en la belleza y la felicidad.	C	F
4. Los escritores muestran lo bien hecho que está el mundo.	C	F
5. La literatura hace a los lectores más manipulables.	C	F
6. La buena literatura es capaz de unir a los ciudadanos de todo el mundo.	C	F

_____

_____

▶ **Escucha** de nuevo y responde. ¿Por qué los regímenes totalitarios temen a la literatura? ¿Qué hacen para intentar controlarla?

_____

_____

_____

▶ **Escucha** de nuevo y anota los personajes literarios que nombra Mario Vargas Llosa. ¿Los conoces?

_____

_____

_____

31 **Y tú, ¿qué opinas?**

▶ **Debate** con tus compañeros(as) sobre las ideas del discurso. ¿Estás de acuerdo con el valor que Mario Vargas Llosa atribuye a la literatura, la lectura y la ficción? Justifica tu respuesta.

Nombre: .... **Fecha:** ....

EL LIBRO DE TU VIDA

32 **¿Qué sabes?**

▶ **Piensa** y escribe. ¿Cuál era tu libro preferido cuando eras niño(a)?
¿Lo recomendarías? ¿Por qué?

Título: _____

Autor: _____

Resumen del argumento: _____

_____

_____

_____

¿Por qué lo recomendarías? _____

_____

_____

33 **Hablamos**

▶ **Habla** con tu compañero(a) sobre tu lectura favorita en la infancia.
Sigan el esquema de la conversación. Después, intercambien los papeles.

Tu compañero(a)	• Te saluda y te hace una pregunta.
Tú	• Salúdalo(a) y dale una respuesta.
Tu compañero(a)	• Te pide más detalles.
Tú	• Responde y explícale por qué te gusta.
Tu compañero(a)	• Reacciona a tu respuesta y te hace otra pregunta.
Tú	• Responde y despídete.

Modelo

Hola, Sergio. ¿Cuál era tu libro favorito?

Uno de mis libros favoritos era *Momo*, de Michael Ende.

«EL SUR»

34 **¿Qué sabes?**

▶ **Lee** el final del cuento «El Sur», de Jorge Luis Borges, y completa la ficha.

El Sur

El compadrito de la cara achinada se paró, tambaleándose. A un paso de Juan Dahlmann, lo injurió (*insulted*) a gritos, como si estuviera muy lejos. Jugaba a exagerar su borrachera y esa exageración era otra ferocidad y una burla. Entre malas palabras y obscenidades, tiró al aire un largo cuchillo, lo siguió con los ojos, lo barajó e invitó a Dahlmann a pelear. El patrón objetó con trémula voz que Dahlmann estaba desarmado. En ese punto, algo imprevisible ocurrió.

Desde un rincón el viejo gaucho estático, en el que Dahlmann vio una cifra del Sur (del Sur que era suyo), le tiró una daga desnuda que vino a caer a sus pies. Era como si el Sur hubiera resuelto que Dahlmann aceptara el duelo. Dahlmann se inclinó a recoger la daga y sintió dos cosas. La primera, que ese acto casi instintivo lo comprometía a pelear. La segunda, que el arma, en su mano torpe (*clumsy*), no serviría para defenderlo, sino para justificar que lo mataran. Alguna vez había jugado con un puñal, como todos los hombres, pero su esgrima (*fencing*) no pasaba de una noción de que los golpes deben ir hacia arriba y con el filo para adentro. No hubieran permitido en el sanatorio que me pasaran estas cosas, pensó.

—Vamos saliendo —dijo el otro.

Salieron, y si en Dahlmann no había esperanza, tampoco había temor. Sintió, al atravesar el umbral (*threshold*), que morir en una pelea a cuchillo, a cielo abierto y acometiendo, hubiera sido una liberación para él, una felicidad y una fiesta, en la primera noche del sanatorio, cuando le clavaron la aguja (*needle*). Sintió que si él, entonces, hubiera podido elegir o soñar su muerte, esta es la muerte que hubiera elegido o soñado.

Dahlmann empuña con firmeza el cuchillo, que acaso no sabrá manejar, y sale a la llanura.

JORGE LUIS BORGES (1899-1986, Argentina-Suiza). *Artificios* (selección)

Protagonista: _____

Escenario: _____

Resumen de la escena: _____

_____

_____

_____

_____

35 **Hablamos**

▶ **Habla** con tus compañeros(as) sobre la interpretación del cuento. ¿Crees que el protagonista, Juan Dahlmann, vive la escena o la sueña? Justifica tu respuesta.

Español Santillana. Speaking and Listening Workbook. Unidad 6

Nombre: ....   **Fecha:** ....

EDUARDO CHILLIDA

36 **¿Qué sabes?**

▶ **Responde** a estas preguntas sobre Eduardo Chillida.

Peine del viento XV,
de Eduardo Chillida

1. ¿De dónde era Eduardo Chillida?

   _____

2. ¿En qué disciplina destacó especialmente?

   _____

3. ¿Qué tres palabras te sugiere la obra de Eduardo
   Chillida?

   _____

   _____

37 **¿Comprendes?**

▶ **Escucha** un fragmento de un programa radiofónico sobre Eduardo Chillida
y responde a las preguntas.

1. ¿Qué descubrió Eduardo Chillida cuando regresó al País Vasco?

   _____

2. ¿Por qué su forma de trabajar el hierro era especial y nueva en el mundo del arte?

   _____

   _____

3. ¿Qué pensaba Chillida de las marcas del trabajo que quedan en la obra?

   _____

   _____

4. ¿Cómo era Eduardo Chillida?

   _____

   _____

38 **Y tú, ¿qué opinas?**

▶ **Busca** imágenes de esculturas de Eduardo Chillida y habla con tus compañeros(as)
sobre su obra. ¿Qué opinas sobre ella? ¿Te gusta? Expón tu opinión y justifícala.

PINTORES Y ESCRITORES

39 **¿Qué sabes?**

▶ **Observa** este dibujo del poeta español Federico García Lorca. ¿Qué te parece? Escribe tu opinión.

Perspectiva urbana con autorretrato, de Federico García Lorca.

_____

_____

_____

_____

_____

40 **¿Comprendes?**

▶ **Escucha** la opinión del pintor español Eduardo Arroyo sobre los pintores que escriben. Responde a las preguntas.

1. ¿Cómo se define a sí mismo Eduardo Arroyo?

_____

_____

2. ¿Cómo es, para él, la literatura de los pintores?

_____

_____

3. ¿Cree que en algunos casos existe el artista excepcional en ambas disciplinas? Anota algún ejemplo.

_____

_____

41 **Y tú, ¿qué opinas?**

▶ **Lee** estas palabras de Eduardo Arroyo y coméntalas con tus compañeros(as). ¿Por qué, en ocasiones, los pintores escriben y los escritores pintan? Compara ambas disciplinas, expón tu opinión y justifica tus respuestas.

«Hay algunas cosas que se pueden solamente pintar y otras cosas que solo a través de la escritura se pueden vivir; o, bueno, quizá las dos mezcladas también. Pero hay cosas que requieren la palabra escrita, mientras que hay otras cosas que seguramente son más crípticas, quizá más misteriosas, que entonces quizá habrá que echar mano de la pintura.»

Nombre: ....   **Fecha:** ....

ARTE Y NATURALEZA

42 ¿Qué sabes?

▶ **Lee** este artículo y responde. ¿Qué es el bosque encantado de Oma?

El bosque encantado de Oma, un cuadro en la naturaleza

Entre los múltiples lugares especiales que puede encontrar a lo largo de España, le aseguramos que el bosque de Oma es uno de ellos. ¿Por qué? Porque se trata de un enclave único en el interior de la Reserva de la Biosfera de Urdaibai. Y es que allí, el pintor y escultor Ibarrola quiso unir la técnica que en el Paleolítico usaban para pintar sobre la roca con una corriente moderna llamada *land art*, que consiste en trabajar sobre la naturaleza. El resultado: manchas y trazos de color que forman figuras, ojos y arcoíris a lo largo de todo el bosque y que se le aparecerán en el camino como los duendes (*elves*) y las hadas (*fairies*) de las antiguas leyendas.

Fuente: www.spain.info

....

....

....

....

43 Hablamos

▶ **Habla** con tus compañeros(as). ¿Te gustaría visitar el bosque de Oma? ¿Conoces algún lugar similar? ¿Qué te parece el arte que interviene en paisajes naturales? Expón tu opinión y justifica tus respuestas.

Modelo

> A mí me gustaría mucho visitarlo. Debe de ser preciosa la vista de los árboles pintados.

> A mí no me gusta. Yo creo que el arte...

¿ESTO ES ARTE?

44 **¿Qué sabes?**

▶ **Lee** las siguientes afirmaciones sobre el arte y marca las que te parecen correctas o más adecuadas. Luego, escribe tu propia definición.

El arte es...

☐ una forma de expresión creativa.

☐ una actividad humana que busca la belleza.

☐ fruto de la imaginación, de la fantasía.

☐ una representación de la realidad que vemos.

☐ una experiencia personal ante un objeto sensible.

☐ una pieza que está en un museo.

☐ un objeto útil.

☐ una obra eterna.

☐ una mentira.

☐ la única verdad del ser humano.

El arte es _____

_____

_____

_____

45 **Hablamos**

▶ **Habla** con tus compañeros(as). Comparte tu idea de arte con ellos(as) y discutan si las siguientes pinturas u objetos son obras de arte o no. Usa distintas expresiones para manifestar tus opiniones y haz valoraciones cuando sea posible.

A

Construcción,
de Joaquín Torres García.

B

Teléfono-langosta,
de Salvador Dalí.

C

Graffiti anónimo.

Modelo

> En mi opinión, el arte es una forma de comunicar algo; y a mí, por ejemplo, el cuadro de Torres no me transmite mucho.

> Desde mi punto de vista, el cuadro de Torres transmite alegría, intensidad, movimiento... ¡Es fantástico que un cuadro tan sencillo transmita tantas cosas!

NOTAS

NOTAS

NOTAS

NOTAS

CRÉDITOS FOTOGRÁFICOS

Cubierta Helen Chelton López de Haro/Jorge Cueto; Jan Sochor/A. G. E. FOTOSTOCK; Alamy Images/ACI AGENCIA DE FOTOGRAFÍA; Thinkstock/GETTY IMAGES SALES SPAIN **Contracubierta** C. Díez Polanco; Jaume Gual/A. G. E. FOTOSTOCK; GARCÍA-PELAYO/JUANCHO; Ulf Andersen/GETTY IMAGES SALES SPAIN **001** Helen Chelton López de Haro/Jorge Cueto **005** J. Jaime; AbleStock.com/HIGHRES PRESS STOCK **006** Photos.com Plus/ GETTY IMAGES SALES SPAIN **007** FOTONONSTOP; AbleStock.com/HIGHRES PRESS STOCK **008** M. Galobardes/ EFE **009** FOTONONSTOP; Thinkstock/GETTY IMAGES SALES SPAIN **010** S. Enríquez; Photos.com Plus/GETTY IMAGES SALES SPAIN **012** COMSTOCK **013** FOTONONSTOP; Thinkstock/GETTY IMAGES SALES SPAIN **014** Photos. com Plus, Thinkstock/GETTY IMAGES SALES SPAIN **018** J. Jaime **019** S. Enríquez; SERIDEC PHOTOIMAGENES CD; FOTONONSTOP **020** MATTON-BILD; SERIDEC PHOTOIMAGENES CD; FOTONONSTOP; Thinkstock/GETTY IMAGES SALES SPAIN; AbleStock.com/HIGHRES PRESS STOCK; ISTOCKPHOTO **022** J. Jaime **023** J. Jaime **024** Image Source/A. G. E. FOTOSTOCK; AbleStock.com/HIGHRES PRESS STOCK **025** LG ELECTRONICS **026** Thinkstock/ GETTY IMAGES SALES SPAIN **028** J. Jaime; ISTOCKPHOTO **029** ISTOCKPHOTO **030** Thinkstock/GETTY IMAGES SALES SPAIN **032** FOTONONSTOP **033** J. F. Moreno/EFE; FOTONONSTOP **035** A. Viñas; Helen Chelton López de Haro/Jorge Cueto; J. Jaime; Thinkstock/GETTY IMAGES SALES SPAIN **036** FOTONONSTOP **038** Thinkstock/ GETTY IMAGES SALES SPAIN **040** Thinkstock/GETTY IMAGES SALES SPAIN **041** Thinkstock/GETTY IMAGES SALES SPAIN **042** FOTONONSTOP; Thinkstock/GETTY IMAGES SALES SPAIN **044** Julio Muñoz/EFE **045** Thinkstock/GETTY IMAGES SALES SPAIN **046** Thinkstock/GETTY IMAGES SALES SPAIN; AbleStock.com/HIGHRES PRESS STOCK **047** J. Jaime **048** Thinkstock/GETTY IMAGES SALES SPAIN **050** Thinkstock/GETTY IMAGES SALES SPAIN; PHOTODISC/SERIDEC PHOTOIMAGENES CD **052** Photos.com Plus, Thinkstock/GETTY IMAGES SALES SPAIN; I. PREYSLER **053** S. Enríquez; Thinkstock/GETTY IMAGES SALES SPAIN **054** F. Durand/SIPA SANTÉ/EFE; HIGHRES PRESS STOCK **055** COMSTOCK; Thinkstock/GETTY IMAGES SALES SPAIN **056** Thinkstock/GETTY IMAGES SALES SPAIN **057** ISTOCKPHOTO **058** STOCK PHOTOS **059** A. G. E. FOTOSTOCK **060** FOTONONSTOP; Thinkstock/GETTY IMAGES SALES SPAIN **062** Thinkstock/GETTY IMAGES SALES SPAIN **064** Photos.com Plus, Thinkstock/GETTY IMAGES SALES SPAIN; AbleStock.com/HIGHRES PRESS STOCK **065** Thinkstock/GETTY IMAGES SALES SPAIN **066** Thinkstock/GETTY IMAGES SALES SPAIN **067** A. G. E. FOTOSTOCK; Thinkstock/GETTY IMAGES SALES SPAIN; AbleStock.com/HIGHRES PRESS STOCK **068** COMSTOCK; PHOTODISC/SERIDEC PHOTOIMAGENES CD **071** J. Jaime **072** Thinkstock/GETTY IMAGES SALES SPAIN; AbleStock.com/HIGHRES PRESS STOCK **073** MATTON-BILD; Jack Hollingsworth/GETTY IMAGES SALES SPAIN **074** C. Díez Polanco; J. Jaime; L. M. Iglesias; David Hay Jones/A. G. E. FOTOSTOCK; AbleStock.com/HIGHRES PRESS STOCK **075** Thinkstock/GETTY IMAGES SALES SPAIN **076** Thinkstock/GETTY IMAGES SALES SPAIN **077** Prats i Camps; Thinkstock/GETTY IMAGES SALES SPAIN **078** MATTON-BILD; Stuart Pearce/A. G. E. FOTOSTOCK; Thinkstock/GETTY IMAGES SALES SPAIN; ISTOCKPHOTO; PHOTODISC/SERIDEC PHOTOIMAGENES CD **079** Luis Gordoa/TUBO HOTEL/gordoafotografia **081** J. Jaime; AbleStock.com/HIGHRES PRESS STOCK **082** SERIDEC PHOTOIMAGENES CD; Thinkstock/GETTY IMAGES SALES SPAIN **083** EFE **084** Tono Balaguer/A. G. E. FOTOSTOCK **085** I. Martínez; J. C. Muñoz; José Enrique Molina/A. G. E. FOTOSTOCK; FOTONONSTOP **086** J. Jaime; SERIDEC PHOTOIMAGENES CD; Photos.com Plus/GETTY IMAGES SALES SPAIN; AbleStock.com/HIGHRES PRESS STOCK **087** ARCHIVO CASASOLA **088** HIGHRES PRESS STOCK **089** F. Po **090** ORONOZ/MUSEO DE AMÉRICA, MADRID; I. PREYSLER **091** Prats i Camps; José de la Cuesta/ EFE; Thinkstock/GETTY IMAGES SALES SPAIN; AbleStock.com/HIGHRES PRESS STOCK **092** J. Jaime; SERIDEC PHOTOIMAGENES CD **094** Casa S.M. el Rey/Alberto Schommer; Gyenes; GARCÍA-PELAYO/JUANCHO **095** AbleStock.com/HIGHRES PRESS STOCK **096** Diego Gómez/EFE; Thinkstock/GETTY IMAGES SALES SPAIN; AbleStock.com/HIGHRES PRESS STOCK; ISTOCKPHOTO; STOCKBYTE/SERIDEC PHOTOIMAGENES CD **097** Thinkstock/GETTY IMAGES SALES SPAIN; ISTOCKPHOTO **098** Thinkstock/GETTY IMAGES SALES SPAIN **099** European Community/EC/ECHO/Simon Horner; J. Escandell.com; DIGITALVISION/SERIDEC PHOTOIMAGENES CD; Maurizio Gambarini/EPA/EFE; Thinkstock/GETTY IMAGES SALES SPAIN; AbleStock.com/HIGHRES PRESS STOCK **100** FOTONONSTOP; Thinkstock/GETTY IMAGES SALES SPAIN **101** IBEROAMERICANA DISTRIBUCIÓN **103** G. Aldana; Thinkstock/GETTY IMAGES SALES SPAIN **104** Thinkstock/GETTY IMAGES SALES SPAIN **105** COLITA **106** I. PREYSLER **107** C. Díez Polanco **108** J. Martin/MUSEO NACIONAL DEL PRADO/MUSEUM ICONOGRAFÍA **109** Prats i Camps; J. Martin/ALBUM; MUSEO DE ARTE MODERNO, BOGOTÁ/GARCÍA-PELAYO/ JUANCHO; HIGHRES PRESS STOCK **110** AbleStock.com/HIGHRES PRESS STOCK; SEIS X SEIS **111** J. Martin/ MUSEUM ICONOGRAFÍA **112** Macduff Everton/CORBIS/CORDON PRESS **113** FOTONONSTOP; Photos.com Plus/ GETTY IMAGES SALES SPAIN **114** Photos.com Plus/GETTY IMAGES SALES SPAIN; Getty Images Sales Spain/ ISTOCKPHOTO **115** J. Martin/MUSEUM ICONOGRAFÍA **116** S. Enríquez; I. PREYSLER **117** S. Enríquez; Thinkstock/ GETTY IMAGES SALES SPAIN; I. PREYSLER **119** Javier Larrea/A. G. E. FOTOSTOCK **120** BIBLIOTECA NACIONAL DE ESPAÑA/Laboratorio Biblioteca Nacional; Nacho Gallego/EFE **121** J. M.ª Escudero; S. Enríquez; FOTONONSTOP; Photos.com Plus/GETTY IMAGES SALES SPAIN **122** S. Enríquez; akg-images/ALBUM; Mejón/FOTOGRAFÍA ARTÍSTICA INDUSTRIAL PUBLICITARIA; AbleStock.com/HIGHRES PRESS STOCK

Agradecimientos: Tubohotel (Tepoztlán, Morelos, México)